独立行政法人 国際交流基金 編著

MARUGOTO

まるごと

日本のことばと文化

初中級
A2/B1

三修社

はじめに

国際交流基金は、海外における日本理解を深めること、また、国際相互理解を促進することを目的として、様々な文化交流事業を行っています。日本語教育においても、国際交流の場が人々の相互理解につながるように事業を展開することが重要だと考えています。本書『まるごと 日本のことばと文化』も、そうした考え方にもとづいて、成人学習者向けに開発された日本語コースブックです。

『まるごと 日本のことばと文化』は、JF日本語教育スタンダードに準拠して開発しました。『まるごと』という名前には、ことばと文化を「まるごと」、リアルなコミュニケーションを「まるごと」、日本人のありのままの生活や文化を「まるごと」伝えたいというメッセージが込められています。

本書を開発するにあたって、特に工夫したのは以下の点です。
- 成人学習者にとって身近なトピックでより自然なコミュニケーションができるようになるために、言語パフォーマンスと言語知識の両面から学習を設計しました。
- 異文化を理解して尊重することを重視し、多様な文化背景を持つ人々が日本語で交流する場面を各トピックに設定しました。
- 言語学習における音声インプットの役割を重視し、自然な文脈のある会話を聞く教室活動を数多く設けました。
- 学習者自身が学習を管理することを重視し、ポートフォリオ評価を導入しました。

本書を通じて、世界中の学習者の方たちに、日本語と日本文化、そして、その中で暮らしている人々を「まるごと」感じていただければ幸いです。

2015 年 6 月
独立行政法人国際交流基金

Introduction

Welcome to *Marugoto: Japanese Language and Culture*, a comprehensive series of coursebooks for adult learners of Japanese as a foreign language developed by the Japan Foundation and based on the JF Standard for Japanese Language Education.

The Japan Foundation engages in a variety of cultural exchange initiatives aimed at deepening understanding of Japan overseas and promoting mutual understanding between Japan and other countries. We think it is important that our work, including our work in Japanese language education, takes place in a way that encourages mutual understanding between people in situations where international cultural exchange takes place, and *Marugoto: Japanese Language and Culture* is based on this way of thinking.

The word *Marugoto* means 'whole' or 'everything' , and was chosen as the title of the coursebook because the course encompasses both language and culture, features communication between people in a range of situations, and allows you to experience a variety of different aspects of Japanese culture through hundreds of colourful photographs and illustrations.

The coursebook also incorporates many innovative components for learning language including:

- designed for both language performance and language knowledge so that you can communicate more naturally when talking about familiar topics
- designed with an emphasis on understanding and respecting other cultures, and containing situations where people from a variety of cultural backgrounds interact in Japanese
- learning Japanese through listening to a variety of natural contextualized conversations
- management of your own learning through a portfolio approach

We hope that *Marugoto: Japanese Language and Culture* will motivate you to enjoy learning the Japanese language and Japanese culture, and will help you feel closer to the people who actually live in this culture and speak the language.

June 2015

The Japan Foundation

『まるごと 日本のことばと文化』(『まるごと』) は JF 日本語教育スタンダードに準拠したコースブックです。
『まるごと』には以下のような特徴があります。

● JF 日本語教育スタンダードの日本語レベル

『まるごと』は JF 日本語教育スタンダードの 6 段階(A1-C2) でレベルを表しています。『まるごと』(初中級)
は A2 レベルと B1 レベルの活動で構成されています。

A2 レベル

・ごく基本的な個人的情報や家族情
　報、買い物、近所、仕事など、直
　接的関係がある領域に関する、よ
　く使われる文や表現が理解できる。
・簡単で日常的な範囲なら、身近で
　日常の事柄についての情報交換に
　応ずることができる。
・自分の背景や身の回りの状況や、
　直接的な必要性のある領域の事柄
　を簡単な言葉で説明できる。

B1 レベル

・仕事、学校、娯楽で普段出合うような身近な話題につい
　て、標準的な話し方であれば主要な点を理解できる。
・その言葉が話されている地域を旅行しているときに起こ
　りそうな、たいていの事態に対処することができる。
・身近で個人的にも関心のある話題について、単純な方法
　で結びつけられた、脈絡のあるテクストを作ることがで
　きる。経験、出来事、夢、希望、野心を説明し、意見
　や計画の理由、説明を短く述べることができる。

JF日本語教育スタンダード 2010
利用者ガイドブック [第三版]

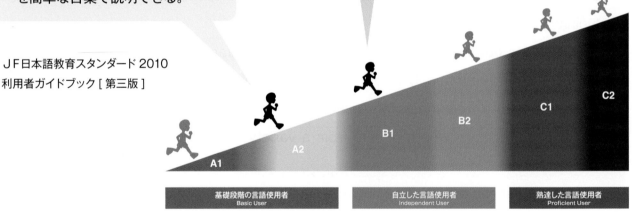

● 『まるごと』初中級の目的

初中級には以下の 2 つの学習目的があります。
1)「かつどう」「りかい」入門 (A1)、初級 1/2 (A2) の復習と応用
2) 上のレベル (B1) への準備

『まるごと』入門 (A1)、初級 1/2 (A2) には 2 つのコースブック「かつどう」と「りかい」がありますが、初
中級は各々の学習方法を 1 冊にまとめました。Can-do も A2 と B1 の両方のレベルがあるので、いろいろ
な教室活動を通して学習することができます。また、成人学習者が自分の気持ち、状況、経験などをより豊
かに表現できるように、各トピックで必要な語や文の形を導入しています。

● 異文化理解

『まるごと』は、ことばと文化を合わせて学ぶことを提案しています。会話の場面や内容、写真、イラストなど様々なところに異文化理解のヒントがあります。日本の文化について知り、自分自身の文化をふりかえって、考えを深めてください。

● 学習の自己管理

ことばの学習を続けるためには、自分の学習を自分で評価し、自分で管理することがとても重要です。ポートフォリオを使って、日本語や日本文化の学習を記録してください。ポートフォリオを見れば、自分の学習プロセスや成果がよくわかります。

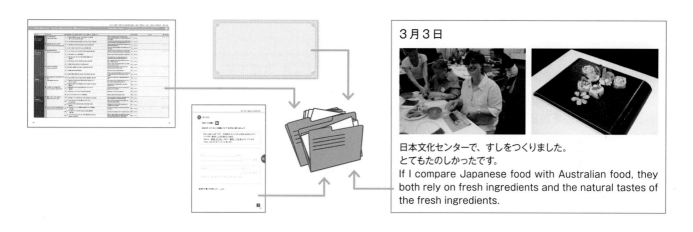

3月3日

日本文化センターで、すしをつくりました。
とてもたのしかったです。
If I compare Japanese food with Australian food, they both rely on fresh ingredients and the natural tastes of the fresh ingredients.

この本のつかいかた

1 コースの流れ

この本を使ったコースは、コミュニケーション言語活動とコミュニケーションを支える言語構造（文法・文型など）の学習を進めていきます。

全部で9つのトピックがあります。1トピックあたり6時間から8時間です。コースの中間と終了時には **「テストとふりかえり」** をします。

コースの例：
1トピックを2時間の授業3回で
学習する場合（全29回）

テストとふりかえり1　　　テストとふりかえり2

| トピック 1 | トピック 2 | トピック 3 | トピック 4 | トピック 5 | | トピック 6 | トピック 7 | トピック 8 | トピック 9 |

2時間 × 15回　　→　　2時間 × 12回　→

2 トピックの流れ

じゅんび

・写真を見て、トピックに関係した質問に答えて、学習の準備をします。
・トピックに必要なことばと漢字を学びます。

きいてはなす

各活動のCan-doを確認します。

会話を4つ聞きます。内容を理解すると同時に、会話の流れをつかみ、よく使われる表現に気づくことが大切です。会話は何度も聞きましょう。

会話を聞いて気づいた大切な文の形と意味を整理し、どんなルールがあるか発見します。

少し長い会話を聞きます。スクリプトは見ないで、おおまかに内容を理解してください。次にスクリプトを見て、会話の流れに合った表現を考えて、もう一度聞きます。会話は何度も聞きましょう。

会話で聞いた表現を使って、ペアかグループで話します。だ円形のふきだしは表現のバリエーションです。うまく言えなかったら、もう一度会話を聞いてみましょう。「トピックのまとめ」（p125-p132）の音声も利用できます。

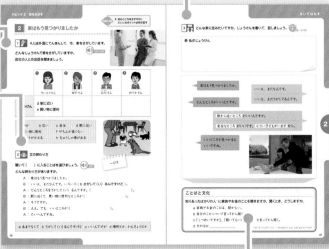

ことばと文化
会話の中に現れる日本語の使い方の文化的な特徴について考えます。

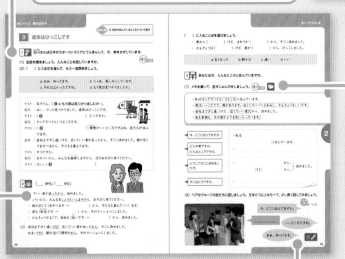

トピック 2/3/4/5/7/9
自分のことについて、ペアかグループの人に話します。少し長く、くわしく話せるように、メモを書いて準備しましょう。メモはポートフォリオに入れます。

トピック 1/6/8
ペアかグループで会話を練習します。ことばや文を自分で変えて、少し長い会話に挑戦しましょう。また、特定の場面で必要な実用表現も学習します。

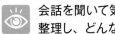
ここまで勉強したら、Can-do チェックをしてコメントを書きます。
Can-do チェック p162-p165　URL→p9

よんでわかる

📖 トピックに関連した短い文章を読んで、内容を理解します。

文 文章の中の新しい文法・文型をこのトピックに結びつけて使えるように練習します。答えのチェックにも音声を使ってください。

注意する語や表現

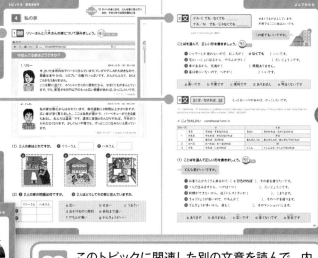

📖 このトピックに関連した別の文章を読んで、内容を理解します。できるだけはやく読んでみてください。

💬 読んだ内容について、自分の経験や考えをクラスで話します。

☆✏ ここまで勉強したら、Can-do チェックをしてコメントを書きます。
Can-do チェック p162-p165　URL → p9

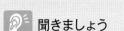

👂 聞きましょう

👄 言いましょう

💬 ペアかグループで話しましょう

📖 読みましょう

📁 ポートフォリオに入れましょう

🔊 音声

👁 ことばの使い方のルールを発見しましょう

🗨 メモを見て、スピーチをしましょう

文 文法・文型を勉強しましょう

☆✏ Can-do をチェックしましょう

🔊 聞いてチェックしましょう

中村さん
日本

カーラさん
フランス

ホセさん
メキシコ

さいとうさん
日本

パクさん
韓国

のりかさん
日本

ジョージさん
ブラジル

かわいさん
日本

タイラーさん
イギリス

アニスさん
インドネシア

石川さん
日本

ナターリヤさん
ロシア

かずおさん
日本

ようこさん
日本

3 異文化理解の活動

『まるごと』はことばと文化をいっしょに学ぶコースです。教室の外でも日本語を使ったり、日本文化を体験したりしましょう。

- ・日本のウェブサイトを見る
- ・日本料理のレストランに行ってみる
- ・日本人の友人や知り合いと話してみる
- ・日本のドラマや映画を見る
- ・日本関係のイベントに行ってみる

教室の外で体験したことをクラスの人と話してください。

4 学習の自己管理の方法

1) Can-do チェック

1回の授業が終わったら、Can-do チェック（p162-p165）を見て、チェックします。

また、自分の学習をふりかえって、コメントを書きます。コメントは何語で書いてもいいです。

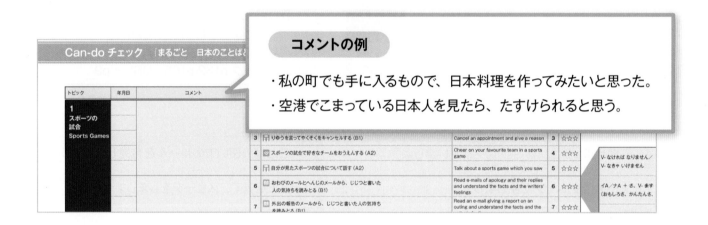

コメントの例

・私の町でも手に入るもので、日本料理を作ってみたいと思った。

・空港でこまっている日本人を見たら、たすけられると思う。

2) ポートフォリオ

日本語と異文化理解の学習や体験を記録し、ふりかえるために、ポートフォリオには以下のようなものを入れます。

① Can-do チェック

② テスト

③ 日本語を使って自分で書いたもの（例　会話の準備のメモ）

④ 日本語・日本文化の体験記録

5 テストについて

テストの方法と内容については、「テストとふりかえり」（p74-p75、p116-p117）、テストの問題例（p160-p161）を見てください。

6 関連情報

『まるごと』ポータルサイト　**https://www.marugoto.org/**

以下の『まるごと』関連リソースをダウンロードしたり、学習支援サイトにアクセスしたりできます（無料）。

● 教科書といっしょに使う教材
　・音声ファイル
　・会話の準備のメモ
　・ごいインデックス
　・ひょうげんインデックス
　・かんじのことばリスト
　・Can-do チェック

● 学習支援サイト
　・「まるごと＋（プラス）」
　・「まるごとのことば」

● 教師用リソース

この本の漢字表記について

（１）『まるごと』入門、初級1、初級2で勉強した漢字……全課
（２）新しい漢字……その漢字を勉強する課から
（３）人の名前
　　　石川、小川、川井、川野、木山、鈴木、田中、中村、野田、森、八木、山田
（４）日本語の勉強のことば
　　　会話、形、漢字、答え、質問、正しい、読解、表現、文、文型、文法、もう一度、
　　　例、練習
（５）「きいてはなす」の会話文（2つ目）と「よんでわかる」の読解文
　　　主にトピックと関係のある語をいくつか選び、ルビつき漢字表記にしています。

ないよういちらん 『まるごと　日本のことばと文化』初中級（A2/B1）

トピック	じゅんび ごい／漢字	きいてはなす かつどう　Can-do（レベル）	ひょうげん	ことばと文化
1 スポーツの試合 p24	・スポーツの名前 ・スポーツを見に行く ・スポーツの試合	1 友だちを外出にさそう／さそいをうける（B1） 2 りゆうを言ってさそいをことわる（A2）	・試合が日曜日ならだいじょうぶなんですが。 ・テレビで、おもしろい試合になるって言って（い）ましたよ。	友だちを外出にさそってことわられたとき
	サッカー場、試合、日曜日、強い、弱い、勝つ、負ける、2対1	3 りゆうを言ってやくそくをキャンセルする（B1）	・じつは、明日の試合、行けなくなったんです。	
		4 スポーツの試合で好きなチームをおうえんする（A2）	・がんばれ／負けるな／…（めいれいけい）	
		5 自分が見たスポーツの試合について話す（A2）		
2 家をさがす p34	・家と近くにあるもの ・住む家のじょうけん	8 住むところをさがすのにだいじなポイントは何か話す（A2）	・文の終わり方：　いろいろさがして（い）るんですけど。／いいところがあまりなくて。／…	知りあったばかりの人に家族やお金のことなどを聞くとき
	庭、公園、病院、交通、通勤、安全、危ない、遠い、勤める、～以上（2時間以上）、～以下（6万円以下）	9 自分が住んでいるところについて話す（B1）	・広くていい家があったから、決めました。 ・会社まで少し遠いけど、いい家があったから、決めました。	
3 ほっとする食べ物 p44	・国の料理 ・食生活	12 外国の食べ物についてどう思うか話す（B1）	・うどんは、外国の人には、味がうすくないですか。 ・定食は量が少なすぎませんか。	苦手な食べ物について話すとき
	海外、食生活、健康、家庭料理、材料、量、米、～食（朝食、昼食、夕食、外食、定食）	13 自分の食生活について話す（B1）	・近所のスーパーに何でもあるから、問題ないです。 ・私、日本人なので、白いご飯とみそしるが一番ほっとするんですよ。	
4 訪問 p54	・訪問の表現 ・家族のよび方 ・会話のトピック	16 客を家の中にあんないする（A2） 17 家族を客に紹介する（A2）	・むすこのしょうです。／しょう、おねえちゃんは？	家族をよぶとき
	住所、訪問、経験、親切、座る、立つ、～観（人生観）、約～（約6年間）	18 外国などで生活した経験や思い出について話す（B1）	・ていねいたい／ふつうたい1：　親切な人が多くてたすかりました。／家族でよく旅行したね。	
5 ことばを学ぶ楽しみ p64	・外国語を学ぶ目的 ・外国語を学ぶ方法	21 外国語を勉強する方法について話す（A2）	・せっきょくてきに英語を話すようにしています。／はやい会話も聞きとれるようになりました。／上手になれるように、毎日英語のニュースを見ています。／…	外国人の友だちがことばの使い方をまちがえたとき
	計画、自信、方法、目的、難しい、通じる、習う、学ぶ、～級（初級、中級、上級）	22 外国語をクラスで学ぶ楽しみについて話す（B1）	・ていねいたい／ふつうたい2：　日本語の学校、つづいてますね。／英語の学校、つづいてるね。	

テストとふりかえり1　p74-p75

よんでわかる		
かつどう　Can-do（レベル）	ぶんぽう・ぶんけい	
6 📖 おわびのメールとへんじのメールから、じじつと書いた人の気持ちを読みとる（B1）	・V- なければ なりません／V- なきゃ いけません ・イ A ／ナ A ＋ さ、V- ます ・と／で／へ／から／まで ＋ の	・土曜日に父の知りあいをむかえに行かなければなりません。／行かなきゃいけません。 ・選手のプレーのすばらしさにかんどうしました。／勉強が忙しいから、友だちのさそいをことわりました。 ・来月のマリナーズとの試合、いっしょに行きましょう。
7 📖 外出の報告のメールから、じじつと書いた人の気持ちを読みとる（B1）		
10 📖 サイトのきじから、どんな家に住んでいるか、そのりゆうは何か読みとる（A2）	・イ A- く ても／なくても＿＿＿＿ 　ナ A ／ N でも／じゃなくても＿＿＿＿ ・S1 ば／なければ、S2	・せまくてもがまんしています。／不便でもここに住みたいです。 ・もっと広いへやがあれば、ひっこしたいです。
11 📖 サイトのきじから、仕事と住むところについて書いた人の考え方を読みとる（B1）		
14 📖 サイトのきじから、書いた人にとってないとこまる食べ物とはどんなものか読みとる（A2）	・N2 みたいな N1 ／ N1 は N2 みたいです ・＿＿＿＿ないです／＿＿＿＿ありません	・ラーメンみたいな食べ物／ベジマイトは（見た目が）ジャムみたいです。 ・ラーメンは毎日食べてもあきないです。／ベジマイトはあまくありません。
15 📖 サイトのきじから、食生活について書いた人の考え方を読みとる（B1）		
19 📖 サイトのきじから、書いた人が友だちの家を訪問した日のことや、そのときの気持ちを読みとる（B1）	・N（ひと）は／が V- て くれます ・N（ひと）に V- て もらいます	・アニスさんが家によんでくれました。 ・アニスさんにつうやくをしてもらいました。
20 📖 訪問客へのおれいのメールから、書いた人の気持ちを読みとる（B1）		
23 📖 サイトのきじから、外国で日本語を学ぶ方法を読みとる（A2）	・V-（よ）うと 思っています ・V- そうです／V- そうな N ・（数量）も	・大学を卒業したら、日本に留学しようと思っています。 ・つぎの試験は、いいせいせきがとれそうです。／私にも読めそうな本 ・きのうは 3 時間もチャットをしました。／チャットは楽しいので、何時間もやります。
24 📖 友だちのメールから、その人の外国語の勉強の経験と今の気持ちを読みとる（B1）		

トピック	じゅんび	きいてはなす		
	ごい／漢字	かつどう　Can-do（レベル）	ひょうげん	ことばと文化
6 **結婚** **p76**	・人生のいろいろなできごと ・人とこうさいする	25 友だちの最近のニュースについて別の友だちと話す（A2）	・のりかさんは、今、きっと幸せでしょうね。 ・何かお祝いをしようと思うんですが。（いこうけい）	友だちのうわさを聞いておどろいたとき
	相手、気持、恋人、出会い、最近、最高、出席、招待、〜合う（知り合う）	26 友だちについて聞いた話をほんにんにたしかめる（B1）	・のりかさん、聞きましたよ。／結婚するそうですね。／やさしい人なんですよね。	
		27 友だちのために、メモを見て結婚式のスピーチをする（A2）		
7 **なやみ相談** **p86**	・なやんでいるときの行動 ・なやんでいる人に対する行動 ・いろいろなななやみ	30 ほかの人の心配なようすについて話す（A2） 31 元気がない人にこえをかける（A2）	・ちょっとつかれて（い）て（元気がありません）。／仕事のことでちょっと（こまっています）。	人の話を聞いているとき
	社会人、職場、給料、人間関係、親友、恋愛、相談、心、心配、不安	32 ほかの人のなやみについてしらべて、けっかとかんそうを話す（B1）	・私の職場でも、同じかもしれません。	
8 **旅行中の トラブル** **p96**	・空港の中のいろいろな場所 ・空港でのアナウンス ・空港でのトラブル	35 空港でアナウンスがわからないときに、ほかの人に聞く／答える（A2）	・もうすぐ飛行機に乗れるそうです。	旅行中、知らない人に何か聞くとき
	お客様、手続き、飛行機、変更、予定、利用、忘れ物、助ける、〜航空(JF航空)、〜便(115便)	36 自分がどこで何をしていたか、思い出して言う（B1） 37 どこかに忘れ物をした友だちを助ける（A2）	・ていねいたい／ふつうたい3：　ありました。／あった！	
		38 だれかに助けをもとめる（A2）	・助けて！／すみません、だれか！／…	
9 **仕事をさがす** **p106**	・いろいろな会社 ・職場について ・仕事をする	41 会社の受付で、会いたい人にとりついでもらう（A2）	・ていねいな言い方：　もうしわけございません。／少々お待ちください。／…	客に対するていねいさ
	体力、協力、担当、報告、連絡、募集、輸出、輸入	42 勤めている会社と自分の仕事について話す（B1）	・留学が終わったら、日本の会社で働きたいと思って（い）るんです。	
テストとふりかえり2　p116-p117				

	よんでわかる		
	かつどう　Can-do（レベル）	ぶんぽう・ぶんけい	
28 📖	サイトのきじから、結婚するふたりがどんな結婚式にしたいか読みとる（B1）	・V-て あげます ・V- なくても いいです／だいじょうぶです	・（私は）のりかの願いを聞いてあげます。 ・大きなパーティーはしなくてもいいです。
29 📖	結婚についてしらべたけっかを読んで、だいじなポイントをりかいする（B1）		
33 📖	なやみ相談のサイトのきじから、ないようと相談している人の気持ちを読みとる（B1）	・<u>S1（ふつうけい plain form）</u> <u>の に、</u> 　<u>S2</u> ・（N（ひと）に）V-て／ V- ないで ほしいです	・せっかく会っているのに、友だちはカレシと長電話をします。 ・私は S 子にマナーをまもってほしいです。／長電話をしないでほしいです。
34 📖	なやみ相談へのアドバイスを読んで、だいじなポイントをりかいする（B1）		
39 📖	サイトのきじから、書いた人が経験した旅行中のトラブルとそのときの気持ちを読みとる（B1）	・（人が）N を V（他動詞：transitive verb） 　N が V（自動詞：intransitive verb） ・V1- ながら V2	・ホテルの人が電気をつけます。 　電気がつきます。 ・ホテルの人は歩きながら、ホテルの歴史を説明しました。
40 📖	サイトのきじから、書いた人が経験した旅行中のトラブルと、それを今どう考えているか読みとる（B1）		
43 📖	しゅうしょくの相談とへんじのメールから、書いた人が何を思っているか読みとる（B1）	・V- る ことが できます ・V1- る より V2- る ほうが イ A ／ナ A です	・ヨーロッパのじょうほうを集めることができます。 ・人の前で話すよりレポートを書く方がとくいです。
44 📖	しゅうしょく活動のかんそうを書いたメールから、書いた人の気持ちや考えを読みとる（B1）		

Features of This Book

Marugoto: Japanese Language and Culture is a coursebook that is based on the JF Standard for Japanese Language Education. It has the following features.

● Japanese Levels of the JF Standard for Japanese Language Education

Marugoto employs levels that correspond to the six stages of the JF Standard for Japanese Language Education (A1-C2). *Marugoto* (Pre-Intermediate) incorporates language activities from both A2 and B1 levels.

A2 level
· Can understand sentences and frequently used expressions related to areas of most immediate relevance (e.g. very basic personal and family information, shopping, local geography, employment).
· Can communicate in simple and routine tasks requiring a simple and direct exchange of information on familiar and routine matters.
· Can describe in simple terms aspects of his/her background, immediate environment and matters in areas of immediate need.

B1 level
· Can understand the main points of clear standard input on familiar matters regularly encountered in work, school, leisure, etc.
· Can deal with most situations likely to arise whilst travelling in an area where the language is spoken.
· Can produce simple connected text on topics which are familiar or of personal interest. Can describe experiences and events, dreams, hopes and ambitions and briefly give reasons and explanations for opinions and plans.

Source: JF Standard for Japanese Language Education 2010 Users' Guidebook (3rd edition)

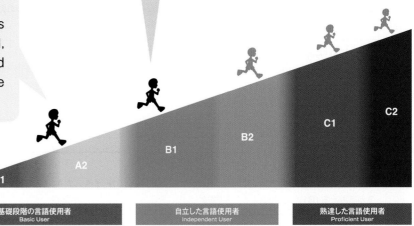

| 基礎段階の言語使用者 Basic User | 自立した言語使用者 Independent User | 熟達した言語使用者 Proficient User |

● The Aims of *Marugoto* Pre-Intermediate

This book has the following two aims:
1) To review and extend practice of *Marugoto* Starter (A1) to Elementary 1/2 (A2)
2) To prepare learners for the next level (B1)

Marugoto Starter (A1) and Elementary 1/2 (A2) each consisted of two coursebooks : Katsudoo and Rikai. Pre-intermediate combines both types of study into one book. Can-do statements are taken from both A2 and B1 levels, meaning learning is offered through a variety of different classroom activities. In addition, words and sentence patterns are introduced that enrich adult learners' expression of feelings, experiences, and so on.

● Intercultural Understanding

Marugoto offers learning in both language and culture. There is help with intercultural understanding in various places, such as the situations in which the conversations take place, the contents of the conversations, and the many photographs and illustrations. There are numerous opportunities for you to learn about Japanese culture, reflect on your own culture and deepen your intercultural understanding.

● Managing Your Own Study

It is very important to evaluate and manage your learning by yourself in order to keep going in language learning. Make a record of the Japanese language and culture you have studied using the portfolio. When you look at your portfolio, you will be able to clearly understand your own learning processes and accomplishments.

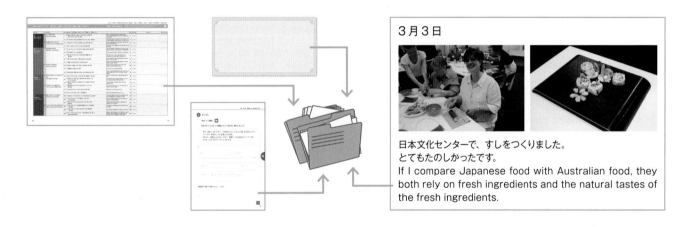

３月３日

日本文化センターで、すしをつくりました。
とてもたのしかったです。
If I compare Japanese food with Australian food, they both rely on fresh ingredients and the natural tastes of the fresh ingredients.

How to Use This Book

1 Course Flow

The course using this textbook focuses on communicative language activities and the structural elements of language (grammar and sentence patterns) that support communication.

There are nine topics and one topic is intended to be covered in six to eight hours. There will be two recap sessions entitled '**Test and Reflection**' both in the middle and at the end of the course.

Course example：

One topic studied in three two-hour classes (29 classes in total)

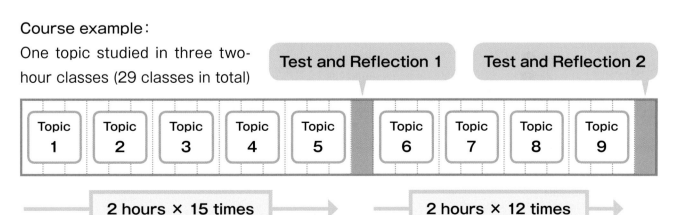

Test and Reflection 1

Test and Reflection 2

| Topic 1 | Topic 2 | Topic 3 | Topic 4 | Topic 5 | Topic 6 | Topic 7 | Topic 8 | Topic 9 |

2 hours × 15 times

2 hours × 12 times

2 Lesson Flow for Each Topic

Preparation

· Look at the photos and answer the questions connected with the topic as preparation.
· Learn the words and Kanji used in this topic.

Listen and Talk

Check the Can-do statements for each activity.

Listen to four conversations. As well as understanding the contents of each conversation, it is important to grasp the flow of the conversation and notice the expressions that are often used. Listen to the conversations several times.

Check the form and meaning of the important sentence patterns you noticed in the conversations, and then discover the rules of language use.

Listen to a slightly longer conversation without reading the script, and try to understand the gist of the conversation. Next, read the script, think of expressions that fit the flow of the conversation, and listen again. Listen to the conversation several times.

Speak in pairs or groups using the expressions from the conversations you listened to. The oval bubbles show other expressions you can use. If you cannot do it well, try listening to the conversation again. Audio files for Topic Review (p125-p132) are also available for practice.

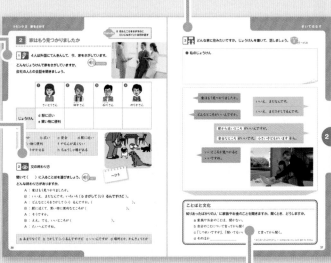

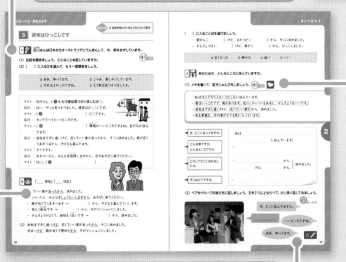

After you finish the lesson, check through what you have learned and write your own comments.
Can-do check list p162-p165   URL → p9

<u>Language and culture</u>
Think about how certain aspects of Japanese culture are revealed in the way Japanese is used in the conversation.

<u>Topic 2/3/4/5/7/9</u>
Talk about yourself in pairs or groups. Make notes and prepare to talk for longer and in more detail. Put the notes in your portfolio.

<u>Topic 1/6/8</u>
Practise the conversation in pairs or groups. Change the words and sentences and try having a slightly longer conversation. You will also learn practical expressions which are necessary for specific situations.

Read and Understand

📖 Read one or two short passages related to the topic.

文 Practise the new grammar and sentence patterns from the passage in order to be able to use them when talking about this topic. Use the audio recording to check your answers.

Words and expressions you should pay attention to

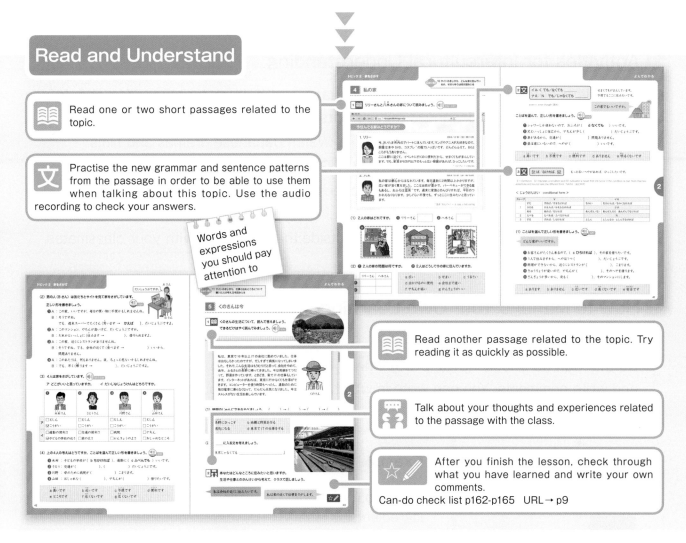

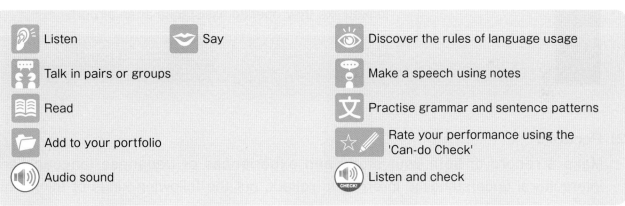

📖 Read another passage related to the topic. Try reading it as quickly as possible.

👥 Talk about your thoughts and experiences related to the passage with the class.

☆✏ After you finish the lesson, check through what you have learned and write your own comments.
Can-do check list p162-p165   URL → p9

👂 Listen	👄 Say
👥 Talk in pairs or groups	👁 Discover the rules of language usage
📖 Read	🗣 Make a speech using notes
📁 Add to your portfolio	文 Practise grammar and sentence patterns
🔊 Audio sound	☆✏ Rate your performance using the 'Can-do Check'
	🔊 Listen and check

 Nakamura-san
Japan

 Kaara-san (Carla)
France

 Hose-san (Jose)
Mexico

 Saitoo-san
Japan

 Paku-san (Pak)
Korea

 Norika-san
Japan

 Jooji-san (Jorge)
Brazil

Kawai-san
Japan

Tairaa-san (Tyler)
U.K.

Anisu-san (Anis)
Indonesia

Ishikawa-san
Japan

Nataariya-san (Natalia)
Russia

Kazuo-san
Japan

Yooko-san
Japan

3 Activities for Intercultural Understanding

Marugoto is a course where you study language and culture together. You should use Japanese and experience Japanese culture outside the classroom as well.

- Look at Japanese websites
- Go to Japanese restaurants
- Talk to Japanese friends and acquaintances
- Watch Japanese dramas and films
- Go to events related to Japan

Talk about the things you have experienced outside the classroom with your classmates.

4 How to Manage Your Own Learning

1) Can-do Check

Do the 'Can-do Check' (p162-p165) when you finish a lesson. Look back on your study and write comments. You can write in whichever language you prefer.

Example comments:

- I'd like to try making Japanese food with locally available ingredients.
- I think I'd be able to help if I saw a Japanese person who looked like they needed assistance at an airport.

2) Portfolio

Make a record of both your study and experiences of Japanese language and intercultural understanding. In order to reflect, put the following kinds of things into your portfolio.

① 'Can-do Check'

② Tests

③ Things you wrote using Japanese (e.g. notes used to prepare for speaking activities)

④ Records of experiences with Japanese language and culture

5 Tests

For information about the procedure and contents of the tests, see Test and Reflection (p74-p75 and p116-p117) and Test Example Questions (p160-p161).

6 Related Information

Marugoto Portal Site **https://www.marugoto.org/**

You can download the resources and access the websites listed below free of charge.

● Resources to use with the textbook
- Audio files
- Notes used to prepare for speaking activities
- Vocabulary index
- Phrase index
- Kanji word list
- Can-do Check

● Learning support websites
- MARUGOTO Plus
- MARUGOTO Words

● Teachers' resources

The Use of Kanji in This Coursebook

（1）Kanji learned during the Starter Course, Elementary Course 1 and Elementary Course 2 are used in every lesson.

（2）New kanji are introduced as you proceed.

（3）The following personal names are written in kanji :
<ruby>石川<rt>いしかわ</rt></ruby>、<ruby>小川<rt>おがわ</rt></ruby>、<ruby>川井<rt>かわい</rt></ruby>、<ruby>川野<rt>かわの</rt></ruby>、<ruby>木山<rt>きやま</rt></ruby>、<ruby>鈴木<rt>すずき</rt></ruby>、<ruby>田中<rt>たなか</rt></ruby>、<ruby>中村<rt>なかむら</rt></ruby>、<ruby>野田<rt>のだ</rt></ruby>、<ruby>森<rt>もり</rt></ruby>、<ruby>八木<rt>やぎ</rt></ruby>、<ruby>山田<rt>やまだ</rt></ruby>

（4）The following terms (mainly used in instructions) are written in kanji :
<ruby>会話<rt>かいわ</rt></ruby>、<ruby>形<rt>かたち</rt></ruby>、<ruby>漢字<rt>かんじ</rt></ruby>、<ruby>答え<rt>こたえ</rt></ruby>、<ruby>質問<rt>しつもん</rt></ruby>、<ruby>正しい<rt>ただしい</rt></ruby>、<ruby>読解<rt>どっかい</rt></ruby>、<ruby>表現<rt>ひょうげん</rt></ruby>、<ruby>文<rt>ぶん</rt></ruby>、<ruby>文型<rt>ぶんけい</rt></ruby>、<ruby>文法<rt>ぶんぽう</rt></ruby>、<ruby>もう一度<rt>いちど</rt></ruby>、
<ruby>例<rt>れい</rt></ruby>、<ruby>練習<rt>れんしゅう</rt></ruby>

（5）In the script of the conversations (the second conversation) in 'Listen and Talk', and the reading texts in 'Read and Understand', some words particularly connected to the topic are written in kanji with the kana reading alongside.

Table of Contents

Read and Understand		
Can-do < Activities > (level)	Grammar and Sentence Patterns	
6 📖 Read e-mails of apology and their replies and understand the facts and the writers' feelings (B1)	· V-nakereba narimasen / V-nakya ikemasen · I-Adj. / NA-Adj. + sa, V-masu · to / de / e / kara / made + no	· Doyoobi ni chichi no shiriai o mukaeni ikanakereba narimasen. / ikanakya ikemasen. · Senshu no puree no subarashisa ni kandoo-shimashita. / Benkyoo ga isogashii kara, tomodachi no sasoi o kotowarimashita · Raigetsu no Marinaazu to no shiai, isshoni ikimashoo.
7 📖 Read an e-mail giving a report of an outing and understand the facts and the writers' feelings (B1)		
10 📖 Read an article from a website and understand what kind of place the writer lives in and why (A2)	· I-Adj.ku temo / nakutemo _____ NA-Adj. / N demo / janakutemo _____ · S1 ba / nakereba, S2	· Semakutemo gaman shite imasu. · Fubendemo koko ni sumitai desu. · Motto hiroi heya ga areba, hikkoshitai desu.
11 📖 Read an article from a website and understand what the writer thinks about his / her job and the place where he / she lives (B1)		
14 📖 Read an article from a website and understand what the writer says about the food he / she cannot live without (A2)	· N2 mitaina N1 / N1 wa N2 mitai desu · ____nai desu / ____arimasen	· Raamen mitaina tabemono / Bejimaito wa (mitame ga) jamu mitai desu. · Raamen wa mainichi tabetemo akinai desu. / Bejimaito wa amaku arimasen.
15 📖 Read an article from a website and understand what the writer thinks about eating habits (B1)		
19 📖 Read an article from a website and understand what the writer did and how he / she felt when he / she visited his / her friend (B1)	· N (person) wa / ga V-te kuremasu · N (person) ni V-te moraimasu	· Anisu-san ga ie ni yonde kuremashita. · Anisu-san ni tsuuyaku o shite moraimashita.
20 📖 Read a thank you e-mail to a visitor from a foreign country and understand the writer's feelings (B1)		
23 📖 Read an article from a website and understand how to learn Japanese outside Japan (A2)	· V-(yo) o to omotte imasu · V-soo desu / V-soona N · Quantity + mo	· Daigaku o sotsugyoo-shitara, Nihon ni ryuugaku-shiyoo to omotte imasu. · Tsugi no shiken wa, ii seeseki ga toresoo desu. / Watashi ni mo yomesoona hon · Kinoo wa san-jikan mo chatto o shimashita. / Chatto wa tanoshii node, nan-jikan mo yarimasu.
24 📖 Read an e-mail from a friend and understand his / her past foreign language learning experience and how he / she feels about it now (B1)		

Topic	Preparation	Listen and Talk		Language and Culture
	Vocabulary / Kanji	Can-do < Activities > (level)	Main Expressions	
6 **Weddings and Marriage** *Kekkon* **p76**	· Life events · Socialising with people	25 Talk about a friend's recent news with another friend (A2)	· *Norika-san wa, ima, kitto shiawase deshoo ne.* · *Nani ka oiwai o shiyoo to omoun desu ga.* (volitional form)	Listening to gossip from a friend and showing surprise
	相手、気持ち、恋人、出会い、最近、最高、出席、招待、〜合う（知り合う）	26 Check with a friend whether something you heard about him / her from another person is true (B1)	· *Norika-san, kikimashita yo. / Kekkonsuru soodesu ne. / Yasashii hito nan desu yo ne.*	
		27 Make a wedding speech for a friend, using notes (A2)		
7 **Talking about Personal Problems** *Nayami-soodan* **p86**	· Things people do when they are worried · Helping someone who is worried · Problems	30 Talk about people who look worried (A2) 31 Talk to someone who looks worried (A2)	· *Chotto tsukarete (i)te (genki ga arimasen). / Shigoto no koto de chotto (komatte imasu).*	Listening to someone talking
	社会人、職場、給料、人間関係、親友、恋愛、相談、心、心配、不安	32 Find out about what things other people are worried about and report the results with your comments (B1)	· *Watashi no shokuba demo, onaji kamoshiremasen.*	
8 **Problems When Travelling** *Ryokoo-chuu no toraburu* **p96**	· Places in an airport · Announcements in an airport · Problems in an airport	35 Ask other people / Answer when you do not understand an announcement at an airport (A2)	· *Moosugu hikooki ni noreru soodesu.*	Asking something to someone you do not know when travelling
	お客様、手続き、飛行機、変更、予定、利用、忘れ物、助ける、〜航空(JF航空)、〜便(115便)	36 Remember and say where you were and what you were doing (B1) 37 Help a friend who has lost something (A2)	· formal/informal style 3 : *Arimashita. / Atta!*	
		38 Ask someone for help in an emergency (A2)	· *Tasukete! / Dare ka! / …*	
9 **Looking for a Job** *Shigoto o sagasu* **p106**	· Types of company · The workplace · Work	41 Ask the reception at a company to tell someone that you are here to see him / her (A2)	· Polite expression : *Mooshiwake arimasen. / Shooshoo omachikudasai. / …*	Showing politeness to a visitor
	体力、協力、担当、報告、連絡、募集、輸出、輸入	42 Talk about the company you work for and the work you do (B1)	· *Ryuugaku ga owattara, Nihon no kaisha de hatarakitai to omotte (i)run desu.*	

Test and Reflection 2   p116-p117

Read and Understand		
Can-do < Activities > (level)	Grammar and Sentence Patterns	
28 📖 Read an article from a website about a couple who are planning to get married and understand what kind of wedding they would like (B1)	· V-te agemasu · V-nakutemo ii desu / daijoobu desu	· (Watashi wa) Norika no negai o kiite agemasu. · Ookina paathii wa shinakutemo ii desu.
29 📖 Read the results of some research on marriage and understand the main points (B1)		
33 📖 Read an article from a website offering advice for problems and understand what the problem is and how the person feels (B1)	· S1 (plain form) noni, S2 · (N (person) ni) V-te / V-naide hoshii desu	· Sekkaku atte iru noni, tomodachi wa kareshi to nagadenwa o shimasu. · Watashi wa Esuko ni manaa o mamotte hoshoii desu. / Nagadenwa o shinaide hoshii desu.
34 📖 Read some advice for problems and understand the main points (B1)		
39 📖 Read an article from a website and understand the problems the writer experienced while travelling and how he / she felt at the time (B1)	· (N (person) ga) N o V (transitive verb) N ga V (intransitive verb) · V1-nagara V2	· Hoteru no hito ga denki o tsukemasu. Denki ga tsukimasu. · Hoteru no hito wa arukinagara, hoteru no rekishi o setsumee-shimashita.
40 📖 Read an article from a website and understand the problems the writer experienced while travelling and what he / she thinks about it now (B1)		
43 📖 Read an e-mail asking for advice on job hunting and its reply, and understand what the writers intend to say (B1)	· V-ru koto ga dekimasu · V1-ru yori V2-ru hoo ga I-Adj. / NA-Adj. desu	· Yooroppa no joohoo o atsumeru koto ga dekimasu. · Hito no mae de hanasu yori repooto o kaku hoo ga tokui desu.
44 📖 Read an e-mail about the writer's feelings on job hunting and understand the writer's thoughts and feelings (B1)		

トピック **1** スポーツの試合

1 スポーツの試合

1 **①** - **⑤** は、どのスポーツですか。

| ① c | ② | ③ | ④ | ⑤ |

a やきゅう　　b アイスホッケー　　c サッカー　　d クリケット　　e ラグビー　　f テニス

● あなたの国で、人気があるスポーツは何ですか。
　あなたはその試合を見に行ったことがありますか。

2 正しいことばを選びましょう。 002

友だちにさそわれて、サッカーの試合を（ ❶ f 見に行きました ）。

その日は、イーグルズ（ ❷　　　　　　　　　　 ） ベアーズの試合でした。

私はイーグルズのファンだから、イーグルズを（ ❸　　　　　　　　　 ）。

有名な選手が試合に出たので、試合が（ ❹　　　　　　　　 ）。

ベアーズが（ ❺　　　　　　　　 ） ので、ベアーズのファンはくやしそうでした。

来週の試合にもさそわれましたが、仕事があるので（ ❻　　　　　　　 ）。

---

a 対　b おうえんしました　c 負けた　d ことわりました　e もりあがりました　f 見に行きました

---

3 かんけいを考えて、ことばを選びましょう。

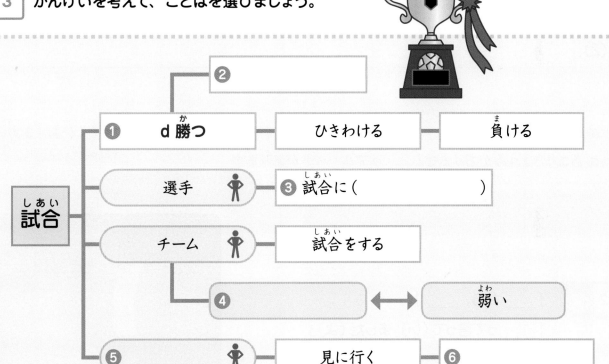

❷　　　　　　　

❶ d 勝つ　　　ひきわける　　　負ける

試合

選手 🚶 ❸ 試合に（　　　　　）

チーム 🚶 試合をする

❹　　　　　 ⟷ 弱い

❺ 🚶 見に行く ❻

---

a 強い　　b ゆうしょうする　　c ファン　　d 勝つ　　e 出る　　f おうえんする

003

サッカー場　試合　日曜日　強い　弱い
　　じょう　しあい　にちようび　つよ　よわ

勝つ　負ける　２対１
か　　ま　　　たい

2　行きたいんですが…

中村さん

1 🦻 中村さんが、友だちをサッカーの試合にさそっています。 🔊 004-007

（1）友だちは、サッカーの試合を見に行きますか。（はい ○、いいえ ×）

（2）どうして行きませんか。

	❶		❷		❸		❹	
	カーラさん	ヤンさん	吉田さん	ワンさん	ジョイさん	シンさん	キムさん	野田さん
（1）	×	○						
（2）	e	╱						

* えんりょします ＝ to decline

a 仕事があります　　　　b 勉強が忙しいです　　　c ほかにやくそくがあります
d あまりきょうみがありません　e アルバイトがあります

2 👁 「＿＿＿ なら、＿＿＿ 」
　　「＿＿＿ って言って（い）ました（よ）」

（1）試合が日曜日なら、だいじょうぶなんですが。
・ 山田さんが行くなら、私も行きます。
・（来週の日曜日 →　　　　　　　）、行けます。
・ 長友選手が（出ます →　　　　　　　）、おもしろい試合になると思います。

（2）（日曜日の試合は、）テレビで、おもしろい試合になるって、言って（い）ましたよ。
・ 山田さんも（行きます →　　いく　　）って、言ってました。
・（中村さんは、）試合のチケットは、もう（買いました →　　　　　　　）って、言ってました。
・ テレビで、こんどの週末は（暑くないです →　　　　　　　）って、言ってましたよ。

3 グループの友だちをスポーツの試合にさそいましょう。 Can-do 1,2 → p125

 Aさん

来週の土曜日 、 サッカーの試合 、
見に行くんですが、いっしょに行きませんか。

行きたいんですが、だめなんです。
土曜日はアルバイトがある から。

 Bさん

そうですか、ざんねん。
Cさん は？

日曜日 なら、
だいじょうぶなんですが。

私は、だいじょうぶです。
ぜひいっしょにお願いします。

 Cさん

私は、えんりょします。
サッカー は、よくわからないから。

 Dさん

そうですか。テレビで、
おもしろい試合になる って、
言ってましたよ。

そうですか。
それなら、行ってみます。

一度、試合を見たら、
ファンになりますよ。

やっぱり、えんりょします。

そうですか。
そうですか。

 008

ことばと文化

友だちを外出にさそって一度ことわられたら、どうしますか。

a すぐに、もう一度さそいます。　　b あとで、もう一度さそいます。

c あきらめて、もうさそいません。　　d そのほか＿＿＿＿＿＿＿

3 行けなくなったんです

 ワンさんが中村さんに電話しています。 009

（1）会話を聞きましょう。ワンさんはどうして中村さんに電話しましたか。

（2）（　　）に入る文を選んで、もう一度聞きましょう。

> a しつれいします　b ワンです　c 行けなくなったんです　d お願いします　e すみません

ワン　：もしもし、中村さん？（❶　　**b ワンです**　　）。

中村　：あ、ワンさん、おはようございます。

ワン　：おはようございます。あのう、じつは、明日の試合、（❷　　　　　　　　　）。

中村　：えっ、ざんねんだなあ。どうしたんですか。

ワン　：（❸　　　　　　　　　　　　）。じつは、中国から知りあいが日本に来るんです。

中村　：そうなんですか。だいじょうぶですよ。気にしないで。

ワン　：はい。ありがとうございます。

中村　：試合は来月もあるから、よかったら、つぎ行きましょう。

ワン　：はい。（❹　　　　　　　　　）。

中村　：それじゃあ。

ワン　：はい。（❺　　　　　　　　　）。

2 　「じつは、＿＿＿ んです」

じつは、明日の試合、行けなくなったんです。

- じつは、中国から知りあいが日本に（来ます → 　　　　　　んです）。
- じつは、前から一度サッカー場に（行ってみたかったです → 　　　　　んです）。
- じつは、学生のとき、ずっとサッカーを（やって（い）ました → 　　　　　んです）。

3　1 の会話をペアで練習しましょう。つぎに、ことばや文をかえて練習しましょう。

Can-do 3 → p125

> あのう、じつは、明日の試合、行けなくなったんです。

> えっ、ざんねん。どうしたんですか。

Can-do
4 スポーツの試合で好きなチームをおうえんする
5 自分が見たスポーツの試合について話す

4 おうえんのことば

1 🎧→👄 スポーツの試合で好きなチームをおうえんします。 🔊 010 Can-do 4 → p125

❶ がんばれ！

❷ もっと走れ！

❸ 行け！

❹ 勝て！

❻ あきらめるな！

❺ 負けるな！

❼ しっかりしろ！

がんばって！　　もっと走って！　　負けないで！
あきらめないで！　しっかり！

2 🗣️ あなたが見に行ったスポーツの試合について、友だちや会社の人と話しましょう。

Can-do 5 → p125

きのうの試合は
どうでしたか。

2対1 で、 イーグルズ が勝ちました／負けました。
………………………………………………………………
勝って、うれしいです。／負けて、くやしいです。

試合がもりあがりました。
………………………………………
いい試合で、かんどうしました。

1対1 で、ひきわけました。

めいれいけい (imperative form)

がんばる → がんばれ　Keep going！/ Come on！
しっかりする → しっかりしろ　Come on！
負ける → 負けるな　Don't give up！
あきらめる → あきらめるな　Don't give up！

Can-do　6　おわびのメールとへんじのメールから、じじつと書いた人の気持ちを読みとる

5 おわびのメール

1 📖 中村さんとワンさんのメールを読みましょう。🔊 011・012

件名：おわび

中村さん
こんにちは。先日はサッカーの試合、急にキャンセルしてすみませんでした。
土曜日は、空港に父の知りあいを迎えに行かなければなりませんでした。じつは、迎えに行く日をまちがえてたんです。ごめんなさい。m(_ _)m
試合はどうでしたか。天気がよくて、よかったですね。つぎの試合は、ぜひいっしょに行きたいです。
ワン

先日

件名：Re：おわび

ワンさん
メール、受けとりました。だいじょうぶですから、ほんとに気にしないでください。弟をさそったので、チケットもむだになりませんでした。
土曜日はイーグルズが勝って、うれしかったです。長友選手のプレーのすばらしさに感動しました！イーグルズは来月、マリナーズと試合をします。マリナーズとの試合、チケットがとれたら、いっしょに行きましょう。(^ ^)v
中村

（1）だれがだれにあやまりましたか。

（2）❶ - ❺ は正しいですか。（正しい ○、正しくない ×）　　　　　　* さいしょ ＝ at first

❶ ワンさんは、さいしょ*、サッカーの試合を見に行くと言いました。（　　　）

❷ ワンさんは、土曜日、サッカーの試合を見に行きました。（　　　）

❸ 中村さんは、弟とサッカーの試合を見ました。（　　　）

❹ 中村さんは、土曜日、好きなチームが勝って、うれしかったです。（　　　）

❺ 中村さんは、ワンさんが来なかったので、おこっています。（　　　）

（3）「おわび」のときに言うことばを選びましょう。

a ありがとう　　b すみませんでした　　c いっしょに行きませんか　　d えんりょします

文 　V- なければ なりません／ V- なきゃ いけません

V- な̶い̶ ＋ ければなりません
V- な̶い̶ ＋ きゃいけません

土曜日に父の知りあいをむかえに行かなければなりません。

Stating that someone is required or obligated to do V. ‘V- なきゃいけません’ is used in spoken Japanese.（必要、義務）

土曜日に父の知りあいをむかえに行かなきゃいけないんです。

‘〜んです’ is sometimes used in conversation for declining something such as an invitation when someone needs to do something else.（事情や理由などを言う）

(1)

4人は、どうして試合を見に行けなくなりましたか。電話の会話を聞きましょう。

カーラさん

ホセさん

あべさん

パクさん

❶ 　c

❷

❸

❹

a

b

c

d

(2) 文を書きましょう。

*（いつ）までに ＝ by (time)

❶ カーラさんはあさってまでに*、レポートを（出します → 　ださなければなりません　）。

❷ ホセさんは明日、大使館にしょるいを（とりに行きます → 　　　　　　　　　　　）。

❸ あさって、あべさんはうちに（います → 　　　　　　　　　）。

❹ あさって、パクさんは（出張します → 　　　　　　　　　）。

長友佑都 選手

3 文 　イA／ナA＋さ　　Vます　　Forming nouns（名詞化）

すばらしい → すばらしさ
　　長友選手のプレーのすばらしさにかんどうしました。

かんたんな → かんたんさ
　　ルールのかんたんさが、サッカー人気のりゆうの1つです。

さそいます → さそい
　　勉強が忙しいから、友だちのさそいをことわりました。

ことばを選んで、正しい形を書きましょう。 CHECK! 018

❶ 若い選手は、試合のさいごまで（　**a つかれ**　）を見せませんでした。

❷ イーグルズの（　　　　　　　　）のひみつは、チームワークです。

❸ すばらしいサッカー場を見ると、文化的な（　　　　　　　　）をかんじます。

❹ 今日の試合は、1対1で（　　　　　　　）でした。

❺ イーグルズのファンは、おうえんのマナーの（　　　　　　　）で、有名です。

> a つかれます　　b ゆたか　　c いい（よい）　　d 強い　　e ひきわけます

4 文 　と／で／へ／から／まで＋の　　来月のマリナーズとの試合、いっしょに行きましょう。

イーグルズは、マリナーズと試合をします。→ マリナーズとの試合

正しいことばを選びましょう。 CHECK! 019

❶ 私はよく JF サッカー場で、試合を見ます。
　　JF サッカー場（　**d での**　）試合は、年に 15 回ぐらいです。

❷ 駅から JF サッカー場まで歩いて 20 分ぐらいです。
　　JF サッカー場（　　　　　　）行き方をサイトでしらべました。

❸ 長友選手は、ファンからプレゼントをもらいました。
　　ファン（　　　　　　）プレゼントは、T シャツでした。

❹ 長友選手は、ファンにメッセージを書きました。
　　ファン（　　　　　　）メッセージは、サイトで読めます。

ファンへのメッセージ

> a への　　　b からの　　　c までの　　　d での

Can-do 7 外出の報告のメールから、じじつと
書いた人の気持ちを読みとる

6 シンさんからのメール

📖 試合の後で、シンさんはキムさんにメールを書きました。読んで答えましょう。
できるだけはやく読んでみましょう。 🔊 020

> キムさん
>
> こんにちは。きのうは、ざんねんでした
> ね。私は中村さんと試合を見に行きま
> した。ジョイさん、ヤンさん、山田さんも
> いっしょでした。
> 駅を出たら、通りがファンでいっぱいで、
> わくわくしました。サッカー人気の高さを
> 感(かん)じました。私たちはイーグルズをひっ
> しで応援(おうえん)しました。ベアーズも強いので、
> 負けるんじゃないかとはらはらしました。
> でも、イーグルズが勝って、優勝(ゆうしょう)したので、
> 中村さんは大喜びでした。サッカーのお
> もしろさがわかりました。行って、よかっ
> たです。
> では、また。
> シン

(1) サッカーの試合を見に行った人は、
　　 だれですか。

(2) 試合に行かなかった人は、
　　 だれですか。

(3) 正しいイラストを選びましょう。

　　 ❶ はらはらしました　　（　　　）
　　 ❷ わくわくしました　　（　　　）
　　 ❸ 大喜びでした　　　　（　　　）

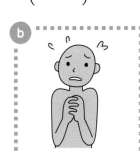

● あなたはどんなときに、 ❶ – ❸ のきもちになりますか。

1 私が住んでいるところ

1 あなたは今、どんなところに住んでいますか。つぎのことばを使って言いましょう。

アパート	マンション	一戸建て	駐車場	駅	
学校	会社	病院	スーパー	店	公園

私の家は いっこだて です。
近くに 小学校 と きれいな公園 があります。

2 正しいことばを選びましょう。 021

^{きやま}木山さんの家の近くには、^{こうえん}公園や学校があって、

（❶ a かんきょう ）がいいです。

家は（❷　　　　　　）にあるので、としん

まで時間がかかります。このあたりは電車やバス

などが少なくて、（❸　　　　　　　）が不便です。

木山さん

木山さんは、毎日車で（❹　　　　　　　）しています。

これから新しい家をさがします。どんなところがいいか、（❺　　　　　　　）

を考えます。

---

a かんきょう　　b こうがい　　c てんきん　　d じょうけん　　e ^{つうきん}通勤　　f ^{こうつう}交通

---

3 はんたいのことばを選びましょう。

❶ やちんが高い　⇔　（　　e 安い　）

❷ へやがせまい　⇔　（　　　　　　）

❸ 夜、^{あぶ}危ない　⇔　夜も（　　　　　）

❹ まわりがうるさい⇔　（　　　　　　）

❺ 買い物に不便　⇔　（　　　　　　）

---

a ^{あんぜん}安全　　b 静か　　c 近い　　d 便利　　e 安い　　f 広い

● 家をさがすとき、あなたにとってだいじなじょうけんは何ですか。

022

庭　公園　病院　交通　通勤
にわ　こうえん　びょういん　こうつう　つうきん

安全　危ない　遠い　勤める
あんぜん　あぶ　　とお　　つと

～以上（２時間以上）　～以下（６万円以下）
いじょう　じかんいじょう　　いか　まんえんいか

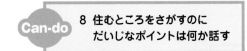

Can-do　8 住むところをさがすのに
　　　　　だいじなポイントは何か話す

2　家はもう見つかりましたか

　4人は外国にてんきんして、今、家をさがしています。

どんなじょうけんで家をさがしていますか。

会社の人との会話を聞きましょう。

 023-026

	❶ さいとうさん	❷ 田中さん	❸ 石川さん	❹ のりかさん
じょうけん	d 駅に近い e 買い物に便利			

a 静か　　　　b 広い　　　c 安全　　　　d 駅に近い
e 買い物に便利　　　f やちんが高くない
g ペットがかえる　　h ちゅうしゃ場がある

　文の終わり方

聞いて（　　）に入ることばを選びましょう。 027

どんな終わり方がありますか。

〜ひき

　　A ： 家はもう見つかりましたか。

　　B ： いいえ、まだなんです。いろいろ（ b さがして（い）るんですけど ）。

　　A ： どんなところをさがして（い）るんですか。（　　　　　　　　　　）。

　　B ： 駅に近くて、買い物に便利なところが（　　　　　　　　　）。

　　A ： そうですか。

　　B ： ええ。でも、いいところが（　　　　　　　　　）。

　　A ： たいへんですね。

a あまりなくて　b さがして（い）るんですけど　c いいんですが　d 場所とか、かんきょうとか

3 どんな家に住みたいですか。じょうけんを書いて、話しましょう。 → p126

● 私のじょうけん

家はもう見つかりましたか。

いいえ、まだなんです。

いいえ、まださがしてるんです。

どんなところがいいんですか。

駅から近いところ がいいんですが。

安全なところ がいいです。 小さい子どもがいます から。

いいところが見つかると
いいですね。

2

ことばと文化

知りあったばかりの人* に家族やお金のことを聞きますか。聞くとき、どうしますか。

　a 家族やお金のことは、聞かない。

　b 自分のことについて言ってから聞く。

　c 「しつれいですが」、「聞いてもいいですか」と言ってから聞く。

　d そのほか＿＿＿＿＿＿＿＿

＊知りあったばかりの人 = someone you just got to know

Can-do 9 自分が住んでいるところについて話す

3 週末はひっこしです

 石川さんは日本からオーストラリアにてんきんして、今、家をさがしています。

(1) 会話を聞きましょう。どんなことを話していますか。

 028

(2)（　）に入る文を選んで、もう一度聞きましょう。

a ああ、知ってます。	b じゃあ、楽しみにしています。
c それはよかったですね。	d もう家は見つかりましたか。

ケイト：石川さん、（ ❶ d もう家は見つかりましたか ）。

石川　：はい、やっと見つかりました。週末はひっこしです。

ケイト：（ ❷　　　　　　　　　　）どこですか。

石川　：キングズベイというところです。

ケイト：（ ❸　　　　　　　　　）環境がいいところですよね。友だちが住ん

でます。

石川　：会社まで少し遠いけど、広くていい家があったから、そこに決めました。庭が広く

てあそべるから、子どもも喜んでます。

ケイト：そうですか。

石川　：おちついたら、みんなを招待しますから、ぜひあそびに来てください。

ケイト：はい。（ ❹　　　　　　　　　　）

2 「＿＿から」「＿＿けど」

(1) 広くていい家が<u>あったから</u>、決めました。

おちついたら、みんなを<u>しょうたいしますから</u>、あそびに来てください。

・庭が広くて（あそべます →　　　　　）から、子どもも喜んで（い）ます。

・夜も（安全です →　　　　　）から、そのマンションにしました。

・かんきょうがよくて、会社も（近いです →　　　　　）から、決めました。

(2) 会社まで少し遠い<u>けど</u>、広くていい家があった<u>から</u>、そこに決めました。

せまい<u>けど</u>、駅が近くて便利だ<u>から</u>、そのマンションにしました。

（　　）に入ることばを選びましょう。

・駅から（　　　　　　　）けど、まわりが（　　　　　　　）から、そこに決めました。

・かんきょうは（　　　　　　　）けど、家が（　　　　　　　）から、ひっこしました。

a 古くなった	b 静かだ	c 遠い	d いい

 あなたは今、どんなところに住んでいますか。

（1）メモを書いて、話すじゅんびをしましょう。

・私は キングズベイというところ に住んでいます。

・家はいっこだてで、庭があります。近くにスーパーもあるし、かんきょうもいいです。

・会社まで少し遠い けど、広くていい家だ から、決めました。

・私も家族も、今の家がとても気に入っています。

今、どこに住んでますか。

どんな家ですか。
どんなところですか。

どうしてそこに決めましたか。

そこはどうですか。

・私は ＿＿＿＿＿＿＿＿＿＿
＿＿＿＿＿＿＿＿ に住んでいます。

・＿＿＿＿＿＿＿＿＿＿＿

・＿＿＿＿＿＿＿＿ から、
けど、＿＿＿＿＿＿ から、 ｝決めました。

・＿＿＿＿＿＿＿＿＿＿＿

（2）ペアかグループの友だちに話しましょう。文を2つ以上ならべて、少し長く話してみましょう。

Can-do
9 → p126

今、どこに住んでますか。

＿＿＿＿＿＿　いいところですね。

ああ、知ってます。

☆✐

4　私の家

 リリーさんと八木（やぎ）さんの家について読みましょう。 🔊 030・031

今住んでる家はどうですか？

1. リリー　　　　　　　　　　　　　　　20XX/12/01（日）00:11:20

今、さいたま市内（しない）のアパートに住んでいます。マンガやアニメが大好きなので、部屋は本やDVD、コスプレ＊の服でいっぱいです。どんどんふえて、おくところがもうありません。

ここは駅に近くて、イベントに行くのに便利だから、せまくてもがまんしています。でも、家賃（やちん）が6万円以下のもっと広い部屋（へや）があれば、ひっこしたいです。

＊コスプレ ＝ cosplay

2. 八木（やぎ）　　　　　　　　　　　　20XX/12/01（日）00:13:00

私の家は都心（としん）からはなれています。毎日通勤に2時間以上かかりますが、広い家が安く買えました。ここは自然が豊（ゆた）かで、バーベキューができる庭もあるし、おふろは温泉（おんせん）＊です。週末に家族とのんびりすれば、平日（へいじつ）のつかれもなくなります。少しぐらい不便でも、ずっとここに住みたいと思っています。

＊温泉（おんせん）＝ a spa, a hot spring

（1）2人の家はどれですか。　❶ リリーさん [　　] 　❷ 八木さん [　　]

（2）❶ 2人の家の問題は何ですか。　　❷ 2人はどうして今の家に住んでいますか。

	リリーさん	八木さん
❶		
❷		

a 広い　　　　　　　b せまい　　　　　c うるさい
d 出かけるのに便利　e 会社まで遠い
f やちんが高い　　　g かんきょうがいい

2 文

イA-く ても／なくても ＿＿＿＿
ナA／N　でも／じゃなくても ＿＿＿＿

even if, even though（譲歩）

せまくてもがまんしています。
不便でもここに住みたいです。

この家でもいいですか。

ことばを選んで、正しい形を書きましょう。 032

❶ シャワーしか使わないので、おふろが（　　d なくても　　）いいです。

❷ 兄といっしょに住むから、やちんが少し（　　　　　　　　）だいじょうぶです。

❸ 車があるから、交通が（　　　　　　　　）問題ありません。

❹ 昼は家にいないので、へやが（　　　　　　　　）いいです。

a 高_{たか}いです　 b 不便_{ふべん}です　 c 便利_{べんり}です　 d ありません　 e 明_{あか}るくないです

3 文

S1 ば／なければ、S2

もっと広いへやがあれば、ひっこしたいです。

'S' = Sentence　S1 indicates a condition and S2 indicates a result that will occur if the condition is met. Note that NA-adjectives and nouns take the different form 'NARA'.（仮定条件）

< じょうけんけい　conditional form >

グループ		V		イA	
1	すむ	すめば／すまなければ	ちかい	ちかければ／ちかくなければ	
	かえる	かえれば／かえらなければ	ナA		
	ある	あれば／なければ	あんぜん（な）	あんぜんなら／あんぜんでなければ	
2	たべる	たべれば／たべなければ	N		
3	する	すれば／しなければ	としん	としんなら／としんでなければ	

（1）ことばを選んで正しい形を書きましょう。 033

どんな家がいいですか。

❶ お客さんがたくさん来るので、（　c ひろければ　）、その家を借りたいです。

❷ 1人で住みますから、へやは1つ（　　　　　　　　）、だいじょうぶです。

❸ 料理ができないから、近くにレストランが（　　　　　　　　）、こまります。

❹ きゅうりょうが安いので、やちんが（　　　　　　　　）、そのへやを借ります。

❺ ざんぎょうが多いから、夜も（　　　　　　　　）、そのマンションにします。

a あります　 b ありません　 c 広_{ひろ}いです　 d 高_{たか}くないです　 e 安全_{あんぜん}です

2

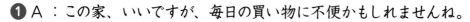

A さん

だいじょうぶですか。

B さん

（2） 男の人（B さん）は友だちとサイトを見て家をさがしています。

正しい形を書きましょう。 034

❶ A：この家、いいですが、毎日の買い物に不便かもしれませんね。

B：そうですね。

でも、週末スーパーでたくさん（買います → **かえば**　）、だいじょうぶですよ。

❷ A：このマンション、やちんが高いけど、だいじょうぶですか。

B：だれかといっしょに（住みます →　　　　　）、借りられますよ。

❸ A：この家、近くにレストランがありませんね。

B：そうですね。でも、会社の近くで（食べます →　　　　　）いいから、

問題ありません。

❹ A：このあたりは、何もありません。夜、ちょっと危ないかもしれませんね。

B：でも、早く（帰ります →　　　　　）、だいじょうぶですよ。

（3） 4人は家をさがしています。　035-038

ア どこがいいと言っていますか。　　イ だいじなじょうけんはどちらですか。

	❶ 木村さん	❷ さとうさん	❸ 川野さん	❹ 山田さん
ア	□としん ☑こうがい	□としん □こうがい	□としん □こうがい	□としん □こうがい
イ	□通勤の便利さ ☑子どもの学校の近さ	□交通の便利さ □家の広さ	□病院 □かんきょうのよさ	□やちん □おしゃれなところ

（4） 上の4人の考えはどうですか。ことばを選んで正しい形を書きましょう。 039

❶ 木村　：子どもの学校が（ **b ちかければ** ）、通勤に（ **c ふべんでも** ）いいです。

❷ さとう：交通が（　　　　　）、（　　　　　）だいじょうぶです。

❸ 川野　：母のために病院が（　　　　　）こまります。

❹ 山田　：おしゃれな（　　　　　）、やちんが（　　　　　）借りたいです。

---

a 高いです　　　b 近いです　　　c 不便です　　　d 便利です

e ところです　　f 近くないです　　g 広くないです

11 サイトのきじから、仕事と住むところについて
書いた人の考え方を読みとる

5　くのさんは今

 くのさんの生活について、読んで答えましょう。
できるだけはやく読んでみましょう。

「東京じゃなくても ＿＿＿＿＿＿＿＿ 」

私は、東京で 10 年以上 IT の会社に勤めていました。仕事はおもしろかったのですが、忙しすぎて病気になってしまいました。それで、こんな生活はもうむりだと思って、会社をやめて、去年、ふるさとの長野に帰ってきました。今は両親をてつだって、野菜を作っています。ときどき、家で IT の仕事もしています。インターネットがあれば、東京に行かなくても仕事ができます。コンピューターを使う時間もへったし、通勤のために毎日電車に乗らなくなって、だんだん元気になりました。今はストレスがない生活を楽しんでいます。

くのさん

（1）時間のじゅんに文をならべましょう。　（　　　）→（　　　）→（　　　）→（　　　）

a 長野にひっこす　　b 両親と野菜を作る
c 病気になる　　d 東京で IT の仕事をする

（2）＿＿＿＿＿に入る文を考えましょう。

「東京じゃなくても ＿＿＿＿＿＿＿＿＿＿＿＿ 」

 あなたはどんなところに住みたいと思いますか。
生活や仕事とのかんけいから考えて、クラスで話しましょう。

私は会社の近くに住みたいです。

私は家の近くで仕事をさがします。

43

1 食べ物

ラーメン ①

フィッシュ アンド チップス ②

ドルマ ③

ガドガド ④

1 ❶ - ❹ は、どの国の料理ですか。

❶ a	❷	❸	❹

a 日本　　b トルコ　　c インドネシア　　d イギリス

● あなたは外国の料理を食べたことがありますか。
　どうでしたか。

2 あなたの国にはどんな食べ物や料理がありますか。
　❶ - ❸ について言いましょう。

❶ ふつうの食べ物、毎日食べるもの
❷ ごちそう、ぜいたくな食べ物
❸ 子どものときから食べているもの

3 ＿＿＿のことばの意味は何ですか。

❶ 私は日本に来て半年(はんとし)になります。はじめ、和食が苦手でしたが、もう<u>なれました</u>。　　（ **a** ）

❷ てんぷらが大好きですが、毎日食べて、<u>あきました</u>。　　（　　）

❸ 今日は体の調子が悪いので、昼ご飯を半分(はんぶん)<u>のこしました</u>。　　（　　）

❹ うちの子どもは、<u>食べ物に好ききらいがある</u>ので、こまっています。　　（　　）

❺ A：この魚料理、どうですか。<u>口にあいますか</u>。
　 B：はい、とてもおいしいです。　　（　　）

---

a だいじょうぶです
b 食べすぎたので、もう食べたくないです
c 食べませんでした
d 好きな味です
e 好きなものしか食べません

🔊 041

海外　食生活　健康　家庭料理
かいがい　しょくせいかつ　けんこう　かていりょうり

材料　量　米
ざいりょう　りょう　こめ

～食（朝食　昼食　夕食　外食　定食）
しょく　ちょうしょく　ちゅうしょく　ゆうしょく　がいしょく　ていしょく

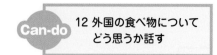

Can-do　12 外国の食べ物について
どう思うか話す

2　日本の食べ物にはもうなれましたか

1 　4人は今、日本に住んでいます。 🔊 042-045

ほとんど毎日

	❶ エドさん	❷ リリーさん	❸ ジョイさん	❹ ホセさん
(1)	a			
(2)	h			

（1）日本のどんな食べ物をよく食べていますか。

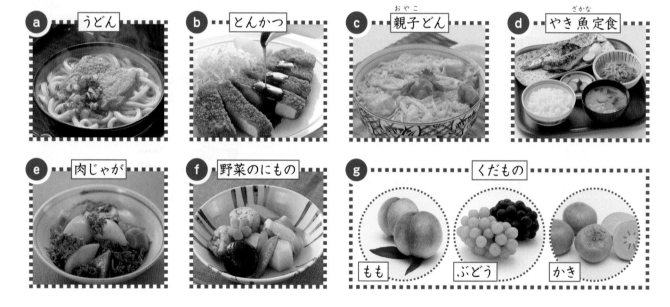

a　うどん　　b　とんかつ　　c　親子どん　　d　やき魚定食

e　肉じゃが　　f　野菜のにもの　　g　くだもの　　もも　ぶどう　かき

（2）（1）の食べ物について、どんなことを話していますか。

h 味がうすい　　i 味があまい　　j 量が少ない　　k ねだんが高い

2 　「＿＿ ないですか」「＿＿ ませんか」

うどんは、外国の人には、味がうすくないですか。

ホセさんには、定食は、量が少なすぎませんか。

・　肉じゃがも、親子どんも、味が（あまいです →　　　　　　　　）。

・　くだものは、ねだんが（高いです →　　　　　　　　）。

・　このとんかつは、（大きすぎます →　　　　　　　　）。

3 外国の食べ物についてどう思うか話しましょう。 →p126

日本の食べ物 はいかがですか。／どうですか。

もうなれましたか。

ええ、よく食べてますよ。

好きですよ。

そうですか。何が好きですか。

そうですね、 うどん とか、 おすし とか、よく食べます。

うどんは
味がうすくないですか。

だいじょうぶです。／問題ないです。

はじめは そう思いました が、今は おいしいです。

それはよかったです。

じゃあ、こんどいっしょに
食べに行きましょう。

じゃあ、こんどうちに
食べに来てください。

3

ことばと文化

苦手な食べ物について話すとき、どんな言い方をしますか。

a「大好きですよ。」　b「好きなんですが、胃*が弱いのであまり食べられないんですよ。」

c「ほかのものはだいじょうぶなんですが、それだけはちょっと…。すみません。」

d そのほか＿＿＿＿＿＿＿＿

* 胃（い）= stomach

Can-do 13 自分の食生活について話す

3 夜はうちで食べてます

1 川井さんはタイのバンコクに住んでいます。今、同じ会社のスリポーンさんと話しています。

046

（1）会話を聞きましょう。どんなことを話していますか。

（2）（　　）に入る文を選んで、もう一度聞きましょう。

---

a どうしてますか　　　　　b 買い物はどこでするんですか
c 私にもてつだわせてください　　d 和食ですか　　e それは便利ですね

スリポーン：川井さん、夕食は毎日、（❶　a どうしてますか　　）。
　　　　　　自分で？
川井　　　：はい。夜はうちで作って食べてます。
スリポーン：（❷　　　　　　　　　　　　　　）。
川井　　　：ええ。私、日本人なので、白いご飯とみそしるが一番ほっとするんですよ。
　　　　　　野菜もたくさん食べたいし…。
スリポーン：そうですか。（❸　　　　　　　　　　　　）。
　　　　　　和食の材料、バンコクでも買えますか。
川井　　　：ええ。お米はデパートで買ってますが、野菜や魚は近所のスーパーに
　　　　　　何でもあるから、問題ないです。
スリポーン：そうですか。（❹　　　　　　　　　　　）。
川井　　　：はい。こんど何かおいしいもの作りますから、食べに来てください。
スリポーン：ありがとうございます。じゃあ、（❺　　　　　　　　　　　）。
川井　　　：ええ、お願いします。

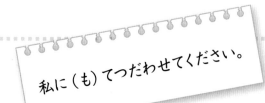

私に（も）てつだわせてください。

2 「＿＿ から」「＿＿ ので」

川井さんは何と言いましたか。書きましょう。

・私、（　日本人な　）ので、白いご飯とみそしるが一番ほっとするんですよ。
・野菜や魚は近所のスーパーに何でも（　　　　　　　）から、問題ないです。
・こんど何かおいしいもの（　　　　　　　）から、食べに来てください。

3 あなたは毎日の食事をどうしていますか。

（1）メモを書いて話すじゅんびをしましょう。

- 昼食は、| ほとんど毎日、外食です。
  会社の近くのレストランによく行きます。タイ料理が多いです。
- 夕食は、| うちで作って食べます。
  1日に1回は、白いご飯とみそしるが食べたくなります。
  和食の材料は、町のデパートに買いに行きます。
- 私は健康のために、できるだけ野菜を食べるようにしています。

◀ 昼食と夕食はどこで食べますか。
外食？ うちで？

◀ 何を食べますか。

◀ 買い物はどこでしますか。

◀ 食事について、どんなことに気をつけていますか。

3

- 昼食は、
  _____
  _____ 。

- 夕食は、
  _____
  _____ 。

- _____
  _____
  _____ 。

（2）ペアかグループの友だちに話しましょう。文を2つ以上ならべて、少し長く話してみましょう。

Can-do
13 → p127

○○さん、毎日の食事、どうしてますか。　　　_____

4　ないとこまる食べ物

1 📖　2人のないとこまる食べ物について読みましょう。🔊  048・049

▶海外でも「ないとこまる食べ物」は何ですか。

1. 和田
20XX/12/01（日）00:11:20

ラーメンが大好きです。週に3、4回、店に行って食べていますが、ぜんぜんあきないです。仕事で海外に行ったときも、やっぱり食べたくなります。
ラーメンみたいな食べ物は海外にもいろいろあるので、それも楽しんでいるんですが、日本のラーメンとはちがいます。（❶）海外には日本のカップラーメンを持っていきます。
でも、どうしても店でラーメンが食べたくなったら、私は日本に帰ってきます。

やっぱり

---

2. リチャード
20XX/12/01（日）00:13:00

私はオーストラリア人ですが、日本人の妻と千葉に住んで5年になります。食事は和食が多いです。和食は健康にいいし、ご飯もみそしるも、大好きです。（❷）朝食のトーストには、やっぱりオーストラリアのベジマイトがないとだめです。ベジマイトというのは、見た目はジャムみたいですが、味はあまくありません。しょっぱいです。妻はあまり食べませんが、私にとってはなつかしいオーストラリアの味なんです。

～にとって（は）

(1) 和田さんについて答えましょう。
- 好きな食べ物は何ですか。
- それは外国にもありますか。

(2) リチャードさんについて答えましょう。
- 朝食にいつも食べるものは何ですか。
- どうしてそれを毎日食べますか。

(3) ❶と❷に入る正しいことばを選びましょう。

❶（ a でも　b それで ）　　　❷（ a でも　b それで ）

2文 | N2 みたいな N1
N1 は N2 みたいです

ラーメンみたいな食べ物
ベジマイトは（見た目が）ジャムみたいです

N1 which looks like N2 / N1 looks like N2. 'みたい' is used in spoken Japanese. (比況)

（1） ❶ – ❹ の食べ物の見た目、におい、味は、何とにていますか。 🔊 050-053

会話を聞いて、選びましょう。

❶	❷	❸	❹
見た目　　**a**	におい	見た目	味

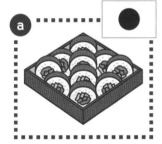

（2） 文を書きましょう。 🔊 CHECK! 054

❶ キンパは（　**おすしみたいな**　）食べ物です。

❷ このお茶は（　　　　　　　　　　）においがします。

❸ バウムクーヘンは見た目が（　　　　　　　　　）です。

❹ このソフトドリンクは味が（　　　　　　　　　）です。

（3） 写真の食べ物を見て、どう思いますか。何みたいですか。

のり

スターフルーツ

とうふ

文 ｜　　　ないです／　　　ありません ｜

ラーメンは毎日食べてもあきないです。
ベジマイトはあまくありません。

There are two patterns for negative sentences; 'ないです' and 'ありません'. (否定形)

新しいかたち：｜　　　　｜

N	おかしです	おかしじゃないです	おかしじゃありません
イA	おいしいです	おいしくないです	おいしくありません
ナA	すきです	すきじゃないです	すきじゃありません
V	します	しないです	しません
	あります	ないです	ありません

（1）食生活について聞いて、3人の答えを書きましょう。（はい ○、いいえ ×） 055-057

　　同じいけんの人はだれですか。

なっとう

	Aさん	Bさん	Cさん
❶ 食べ物に好ききらいはありますか。	○		
❷ なっとうは好きですか。			
❸ 自分で料理をしますか。			

（2）文を選びましょう。 058

　　スリポーンさんは川井（かわい）さんの家に食事によばれました。

　　川井　　　：さあ、家庭料理で、（ ❶ c ごちそうじゃありません ）が、どうぞ。

　　スリポーン：ごちそうですよ。おいしそう。

　　川井　　　：そうですか。（ ❷　　　　　　　　　　）けど…。

　　　　　　　　きらいなものはのこしてくださいね。

　　スリポーン：はい。いただきます。

　　川井　　　：それ、ちょっと（ ❸　　　　　　　　　）か。

　　スリポーン：いえ、ぜんぜん（ ❹　　　　　　　　　）。とってもおいしいです。

　　川井　　　：ああ、よかった。

｜ a 問題ないですよ　　b しょっぱくないです　　c ごちそうじゃありません　　d じしんありません ｜

Can-do 15 サイトのきじから、食生活について
書いた人の考え方を読みとる

5 日本での食生活

1  クマールさんはインド人で、神戸に住んでいます。クマールさんの食生活について、読んで答えましょう。できるだけはやく読んでみましょう。 🔊 059

神戸は国際色豊かな* 町で、いろいろな国の料理が食べられます。インド料理もおいしい店がありますが、私は外食のときは、できるだけ日本料理を食べるようにしています。やはり、「食は文化」と言いますから、日本の文化を味わいたいと思っています。

でも、うちではやっぱりインド料理です。どんなに日本料理がおいしくても、インド人にとってはスパイスのきいたカリーが一番ほっとします。スパイスはインド料理のいのちですから、国からたくさん持ってきました。自分でカリーを作って、ときどき日本人の友だちも招待して、いっしょに楽しんでいます。

クマールさん

* 国際色豊かな（こくさいしょくゆたかな）＝ very international

（1） クマールさんは外食のとき何を食べますか。うちでは何を食べますか。

（2） クマールさんは日本料理を食べたり、カリーを作って日本人の友だちを家にしょうたいしたりします。なぜですか。＿＿＿＿＿をひきましょう。

2 あなたにとって「一番ほっとする食べ物」は何ですか。クラスで話しましょう。

Can-do 16 客を家の中にあんないする

1 ▶ 知りあいの家を訪問する

1　げんかんとへやで　Can-do 16 🔊 → p127

会話を聞いて、文を選びましょう。

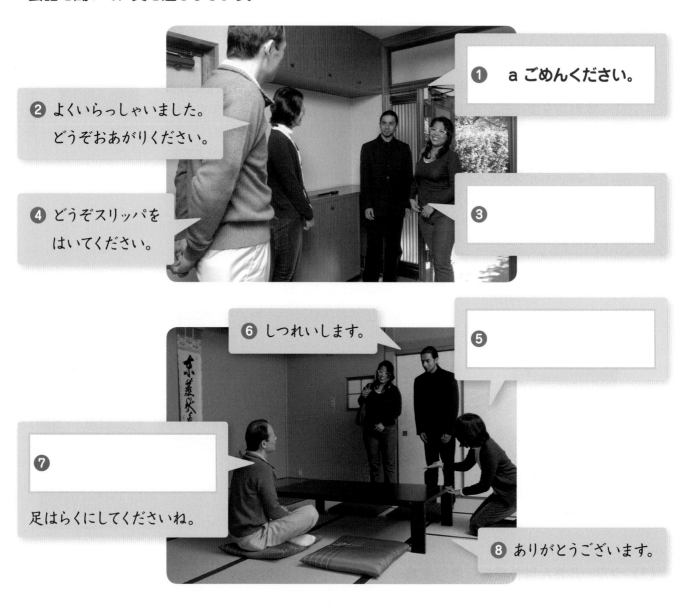

❶　a ごめんください。

❷ よくいらっしゃいました。
どうぞおあがりください。

❸

❹ どうぞスリッパを
はいてください。

❺

❻ しつれいします。

❼

足はらくにしてくださいね。

❽ ありがとうございます。

a ごめんください。	b どうぞお座りください／座ってください。
c おじゃまします。	d こちらへどうぞ。

● グループで 1 の会話を練習しましょう。

● 日本の家で

ベルをおす

くつをぬぐ
スリッパをはく

へやに入る

座る　正座をする

立つ　足がしびれる

2　正しいことばを選びましょう。家族について話すとき、どんなことばを使いますか。

🔊 CHECK! 061

❶ 私の（ⓐ父　b お父さん）はエンジニアです。

❷ うちは、（a 妻　b おくさん）と（a 子ども　b お子さん）2人の、4人家族です。

❸ シンさんは（a 姉　b お姉さん）が3人いるそうです。

❹ 田中さんの（a そふ　b おじいさん）は、むかし、タイで働いていたそうです。

❺ 私の（a むすめ　b むすめさん）の家族は、広島に住んでいます。

3　知りあいの家を訪問したとき、どんなことをよく話しますか。3つチェックしましょう。

□ a 家族のこと

□ b 仕事のこと

□ c しゅみのこと

□ d 旅行のこと

□ e 自分の国や町のこと

□ f きょうつうの友だちのこと

□ g いろいろな思い出

□ h そのほか

 🔊 062

住所	訪問	経験	親切	座る	立つ
じゅうしょ	ほうもん	けいけん	しんせつ	すわ	た

〜観（人生観）　約〜（約6年間）
かん　じんせいかん　やく　やく　ねんかん

2　うちの家族です

 カールさんは日本の会社で働いています。

同じ会社のようこさんの家にあそびに来ました。 063-066

ようこさん　カールさん

（1）ようこさんはカールさんにだれを紹介していますか。

a かずお

b よしえ と タマ

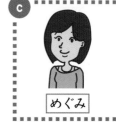
c めぐみ

d しょう

（2）その人はようこさんとどんなかんけいですか。

	eそぼ	f夫	g妻	h父	i母	j子ども

	❶	❷	❸	❹
（1）	d			
（2）	j			

2　家族のよび方

ようこさんは家族をよぶとき、何と言っていますか。カールさんに紹介するときはどうですか。

❷ と ❸ の会話をもう一度聞きましょう。  067・068

＜例＞　ようこ：カールさん、むすこのしょうです。

＜❷＞　ようこ：しょう、お姉ちゃんは？

　　　　しょう：お姉ちゃん？さあ…。あ、来た。

　　　　ようこ：カールさん、むすめのめぐみです。

　　　　めぐみ：めぐみです。カールさん、Nice to meet you.

　　　　カール：こんにちは。

＜❸＞　ようこ：あ、お父さん、こっちよ。

　　　　かずお：あ、どうも。いらっしゃい。お待ちしてました。

　　　　ようこ：うちのしゅじんです。

　　　　カール：はじめまして。カールです。

自分の家族を知りあいに紹介しましょう。 → p127

カールさん、紹介します。うちの 母 です。今、英語をならってるんですよ。

はじめまして。いつも むすめ がおせわになって(い)ます。

はじめまして。カール です。

こちらこそ、いつも 山本さん におせわになって(い)ます。

ペットの タマ です。

4

ことばと文化

家族でおたがいをよぶとき、どんな言い方をしますか。
たとえば、夫が妻をよぶときはどうですか。

    a 「ようこ」（名前でよぶ）
    b 「おい」「ちょっと」（名前でよばない）
    c 「お母さん」「ママ」
    d そのほか＿＿＿＿＿＿＿＿

Can-do 18 外国などで生活した経験や思い出について話す

3 外国生活の思い出

 1　山本さんの家にカールさんがあそびに来ました。🔊069

（1）会話を聞きましょう。どんなことを話していますか。

（2）（　）に入る文を選んで、もう一度聞きましょう。

---

a アメリカに行ったこと、ありますか　　b アメリカでの生活はどうでしたか
c いつごろですか　　d 私もそのころニューヨークで勉強していたんですよ

カール：山本さんは、（ ❶ a アメリカに行ったこと、ありますか ）。

ようこ：カールさん、私たち、ニューヨークに住んでたんですよ。

カール：え、ほんとに？（ ❷ 　　　　　　　　　　　　　）。

ようこ：2004年から2010年まで、約6年間です。

カール：へえ、（ ❸ 　　　　　　　　　　　　）。

ようこ：ぐうぜんですね。

カール：（ ❹ 　　　　　　　　　　　　　　）。

ようこ：ことばがわからなくてこまったけど、親切な人が多くてたすかりました。

かずお：そうだね。あと、家族でよく旅行したね、ようこ。
　　　　おぼえてるか。グランドキャニオン*、すごかったよね。

ようこ：ええ、あれはすばらしかった。わすれられないけしきだよね。

かずお：ああ。ぼくも、人生観が変わった。

ぼく

カール：へえ、そうですか。

*グランドキャニオン ＝ the Grand Canyon

 2　ていねいたい・ふつうたい1　formal style and informal style 1

つぎの文はだれに話していますか。（　）に書きましょう。
友だちに話すときと、家族に話すときは、どんなちがいがありますか。

❶ 私たち、ニューヨークに住んでたんですよ。　　　　ようこ →（ **カール** ）

❷ ぐうぜんですね。　　　　　　　　　　　　　　　　ようこ →（　　　　）

❸ 親切な人が多くてたすかりました。　　　　　　　　ようこ →（　　　　）

④ 家族でよく旅行したね。　　　　　　　　かずお → （　　　　）

⑤ おぼえてるか。　　　　　　　　　　　　かずお → （　　　　）

⑥ わすれられないけしきだよね。　　　　　ようこ → （　　　　）

 3 外国や、自分の町じゃないところで生活したことがありますか。

（1）メモを書いて、話すじゅんびをしましょう。 070

・私は 2004年から2010年まで約6年間 、 アメリカのニューヨーク に住んでいました。

・ アメリカ ではいろいろな経験をしました。

　 家族でよく旅行しました。特にグランドキャニオンはすばらしかったです。

　 ことばがわからなくてこまりましたが、親切な人が多くてたすかりました。

・ わすれられない思い出がたくさんあって 、なつかしいです。

いつ、どこに
住んでましたか。

どんな経験や思い出が
ありますか。

今、どう思いますか。

・私は
　　　　　　　　　　　　　　　に住んでいました。

・　　　　　　　　　　　　ではいろいろな経験をしました。

・
　　　　　　　　　　　　　、なつかしいです。

（2）ペアかグループの友だちに話しましょう。文を2つ以上ならべて、少し長く話してみましょう。

Can-do
18 → p128

○○さん、ほかの町や国に住んだこと、ありますか。

_____

☆✏

59

Can-do 19 サイトのきじから、書いた人が友だちの家を訪問した日のことや、そのときの気持ちを読みとる

4 友だちの家

1 坂本さんはインドネシアのジャカルタで働いています。
坂本さんの週末について、読んで答えましょう。 🔊 071

ひかるのジャカルタブログ

週末、友だちのアニスさんが家によんでくれました。 20XX/05/05

ジャカルタに来て初めてこちらの人の家を訪問しました。アニスさんの家は郊外にあって、ご両親とお兄さんの家族がいっしょに住んでいます。部屋には、生け花や日本のおみやげがきれいにかざってありました。
アニスさんとお兄さんは日本に留学していたので、日本語がとても上手です。私はインドネシア語がまだできないので、ご両親と話すとき、通訳をしてもらいました。(1) おかげで、たすかりました。
アニスさんは日本でとった写真を見せてくれました。日本にいたとき、お花とおどりをおぼえたそうです。私より日本文化にくわしいので、びっくりしました。(2)
帰るとき、アニスさんがおみやげにおかしをくれました。お母さんの手作りだそうです。
アニスさんの家族があたたかく迎えてくれて、ほんとうにうれしい一日でした。(3)

N を（私に）くれます

（1）坂本さんのために日本語のつうやくをした人はだれですか。

（2）坂本さんはどうしてびっくりしましたか。＿＿＿＿＿＿をひきましょう。

（3）坂本さんは、どんなことがうれしかったとあなたは思いますか。＿＿＿＿＿＿をひきましょう。

2 文 N（ひと）は／が V-て くれます　　アニスさんが家によんでくれました。

Someone (N) does something especially for me. （利益・恩恵を与える）

（1）会話を聞いて、正しい形を書きましょう。 072-075　 076

アニスさんは、坂本さんのためにどんなことをしますか／しましたか。

> アニスさんはとても親切な人です。
> ❶ アニスさんは私を家に（よびました →　**よんでくれました**　）。
> ❷ 住所と電話番号を（書きました →　　　　　　　　）。
> ❸ 私の家まで車で（むかえに来ます →　　　　　　　）。
> ❹ いちばに（つれていきます →　　　　　　　　）。

（2）ことばを選んで、正しい形を書きましょう。 077

坂本さんは、アニスさんのためにどんなことをしましたか。

> 坂本さんはとてもやさしい人です。
> ❶ 坂本さんはおみやげを（ **d もってきてくれました** ）。
> ❷ いちばで買い物をするとき、（　　　　　　　　）。
> ❸ 兄の子どもと（　　　　　　　　）。
> ❹ うちの料理を何でもおいしいと言って（　　　　　　　　）。

> a あそびました　　b 食べました　　c てつだいました　　d 持ってきました

● 最近うれしかったことを言いましょう。

> 友だちが誕生日に電話してくれました。

3 文　N（ひと）に V-て もらいます

アニスさんにつうやくをしてもらいました。

Have someone (N) do something (for me).（利益・恩恵を受ける）

（1）ことばを選んで、正しい形を書きましょう。 🔊 078

アニスさんと家族は坂本さんのためにどんなことをしましたか。

週末、アニスさんとご家族におせわになりました。

❶ インドネシア語がよくわからないので、ご両親にゆっくり（　**d はなしてもらいました**　）。

❷ お兄さんのカメラで写真を（　　　　　　　　　　）。

❸ そして、その写真をメールで（　　　　　　　　　　）。

❹ アニスさんにインドネシアの音楽の CD を（　　　　　　　　　）。

a 送（おく）りました　　b 貸（か）しました　　c とりました　　d 話（はな）しました

（2）会話を聞いて、書きましょう。 🔊 079-082 🔊 083

❶ アニスさんにつうやくを（　　**してもらいました**　　）。

❷ アニスさんにインドネシア語を（　　　　　　　　　）。

❸ 坂本さんにてんぷらを（　　　　　　　　　）。

❹ 坂本さんに日本の歌を（　　　　　　　　　）。

● 最近（さいきん）だれに何をたのみましたか。言いましょう。

友だちにマンガを貸してもらいました。

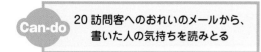

5 外国からのお客さま

1 アニスさんは坂本さんにEメールを書きました。読んで答えましょう。できるだけはやく読んでみましょう。🔊 084

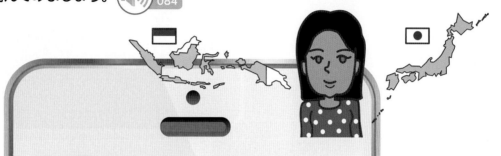

坂本さん
このあいだはうちにあそびに来てくれてありがとう。坂本さんが作ってくれたてんぷら、おいしかったです。教えてもらったレシピで、こんど自分で作ってみます。
私は日本に3年もいましたが、インドネシアに帰ってから、日本語を使ったり日本の文化にふれたりする機会が少なくて、日本が遠くなっていました。「ざんねんでさびしいな」と思っていましたが、坂本さんのおかげで私はまた日本とつながりました。よかったら、またあそびに来てください。
こんどは坂本さんにインドネシアのことを、もっといろいろ紹介したいです。それでは、また。
アニス

（1）アニスさんが「ざんねんでさびしいな」と思っていたのは、どうしてですか。
　　＿＿＿をひきましょう。

（2）坂本さんが家に来て、アニスさんはどんなことがうれしかったですか。
　　＿＿＿をひきましょう。

2 あなたはどんな国とつながりがありますか。どんなつながりですか。
クラスで話しましょう。

1 ことばを学ぶ目的と方法

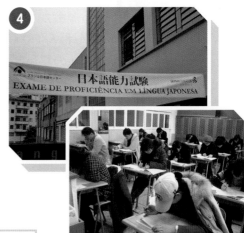

1 ❶ - ❹ は、どれですか。

| ❶ b | ❷ | ❸ | ❹ |

a 歌を聞く　　b えんげきをする　　c 試験を受ける

d 日本語会話の集まりに参加する　　e インターネット電話で海外にいる人と話す

● あなたも同じ活動をしたことがありますか。

2 正しいことばを選びましょう。 085

 どうやって外国語を勉強していますか。

❶ CD をよく聞いたので、はやい会話が（　**e 聞きとれる**　）ようになりました。

❷ いっしょに学（まな）ぶ友だちがいるので、日本語の勉強が（　　　　　　　）。

❸ 文法（ぶんぽう）は、ほかの外国語や母語（ぼご）と（　　　　　　　）考えるようにしています。

❹ はずかしがらないで＊、（　　　　　　　）話すことがたいせつです。

❺ 日本人と話して、自分の日本語が（　　　　　　　）と、自信（じしん）がつきます。

＊ はずかしがらないで ＝ not being shy

```
a せっきょく的に    b 通（つう）じる    c ひかくして
d つづいています    e 聞きとれる
```

3 考えて選びましょう。

5

（1）あなたはどんな目的（もくてき）で
日本語を習（なら）っていますか。

□ a 勉強を楽しむ
□ b 日本の文化を知る
□ c 仕事で使う
□ d 留学する
□ e 友だちや家族と話す
□ f 旅行する
□ g そのほか ＿＿＿＿＿＿＿＿＿＿

（2）その目的（もくてき）のために
どんなことをしていますか。

□ h 習（なら）ったことばを使ってみる
□ i 試験を受ける
□ j サイトでじょうほうを集める
□ k 友だちを作る
□ l 日本かんけいの店に行く
　（レストランや本屋など）
□ m 日本かんけいのイベントに行く
□ n そのほか ＿＿＿＿＿＿＿＿＿＿

 086

漢字のことば KANJI

計画（けいかく）　自信（じしん）　方法（ほうほう）　目的（もくてき）　難（むずか）しい　通（つう）じる

習（なら）う　学（まな）ぶ　〜級（きゅう）（初級（しょきゅう）　中級（ちゅうきゅう）　上級（じょうきゅう））

2 どうやって勉強してますか

 田中さんはイギリスで仕事をしています。今、友だちに
外国語の勉強方法について聞いています。 087-090

田中さん

うらやましい…

	① ナターリヤさん	② エスターさん	③ エドワードさん	④ タイラーさん
(1)	b			
(2)	f			

（1）友だちは、何について話していますか。

a 聞くこと　　b 話すこと　　c 漢字　　d 文法

（2）友だちは、どうやって勉強していますか。

　「＿＿＿ように」

私はぜんぜん英語が<u>話せるようになりません</u>。

せっきょく的に英語を<u>話すようにして</u>（い）ます。

エドワードさんみたいに（外国語が）<u>上手になれるように</u>、毎日英語のニュースを見て（い）ます。

　　・　はやい会話も（聞きとれます →　　　　　　ようになりました。）

　　・　できるだけ漢字のノートを（見ます →　　　　　ようにして（い）ます。）

　　・　漢字を（わすれません →　　　　　ように）、ノートをいつも持って（い）ます。

3 あなたの勉強方法を3つ書いて、話しましょう。 Can-do 21 →p128

● 私の勉強方法

エスターさん 、 日本語 、
上手ですね。／上手になりましたね。

いいえ。そんなこと、ないです。
まだまだです。

ありがとう。

私も上手になりたいんですが、
何かいい勉強方法、ありませんか。

私は 日本のアニメをよく見ます。

そうですか。

それで、 エスターさんは、はやい会話も
聞きとれるようになったんですね。

私もやってみます。

ことばと文化

あなたの国のことばで、外国人の友だちと話しているとき、その友だちがことばの使い方
をまちがえたら、どうしますか。なぜですか。

    a 何もしません。

    b すぐに、まちがっていると言います。

    c あとで、正しい言い方を教えます。

    d そのほか＿＿＿＿＿＿＿＿

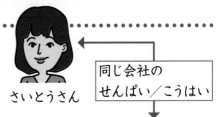
Can-do 22 外国語をクラスで学ぶ楽しみについて話す

3 見習わなきゃ

 さいとうさんは田中^{たなか}さんのせんぱいで、
田中さんとエスターさんは友だちです。 091

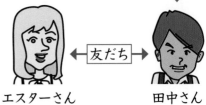
同じ会社の
せんぱい／こうはい

さいとうさん

エスターさん ← 友だち → 田中さん

(1) 会話を聞きましょう。どんなことを話していますか。

(2)（　）に入る文を選んで、もう一度聞きましょう。

---

a もう2年になります。　　　b どんな人がいますか。

c 一番の楽しみです。　　　d それは、楽しそうですね。

さいとう　：田中くん、英語の学校、つづいてるね。

田中　　　：ええ、もう1年です。いろいろな人がいて、おもしろいですよ。

エスター　：へえ。（❶ b どんな人がいますか ）。

田中　　　：学生、会社員^{かいしゃいん}、退職^{たいしょく}した人、あと、芸術家^{げいじゅつか}もいるよ。

エスター　：（❷　　　　　　　　　　　）。

田中　　　：うん。自分とはちがう意見^{いけん}が聞けて、勉強になるよ。

勉強になる

さいとう　：仕事のことをわすれて学生になれるのが、楽しいよね。

エスター　：私は日本語クラスで同じしゅみの人に会えるのが、（❸　　　　　　　　　　　）。

さいとう　：エスターさんも、日本語の学校、つづいてますね。

エスター　：はい。（❹　　　　　　　　　）

さいとう　：そうですか。上手になりましたね。田中くんも、エスターさんを見習わなきゃ。

田中　　　：はい、がんばります。

---

 2 ていねいたい・ふつうたい 2　formal style and informal style 2

つぎの文はだれに話していますか。（　）に書きましょう。

3人のかんけいとことばの使い方について考えましょう。

❶ 英語の学校、つづいてるね。　　　　　　　　　さいとう → （　たなか　）

❷ ええ、もう1年です。　　　　　　　　　　　　田中 → （　　　　）

❸ げいじゅつかもいるよ。　　　　　　　　　　　田中 → （　　　　）

❹ うん。自分とはちがういけんが聞けて、勉強になるよ。 　　　田中 → （　　　　　）

❺ 日本語の学校、つづいてますね。 　　　　　　　　　　　　さいとう → （　　　　　）

❻ エスターさんを見習わなきゃ。 　　　　　　　　　　　　さいとう → （　　　　　）

 3 あなたにとって、クラスで学ぶ楽しみは何ですか。

（1）メモを書いて、話すじゅんびをしましょう。

- 私は JF の初級コース で、 日本語 を学んでいます。
- クラスにはいろいろな人がいます。 話し好きな人もいる し、はずかしがりやの人もいます 。私は 仕事で日本語を 使います が、 楽しみのために学んでいる人もいます 。
- ほかの人の話を聞いたり、自分のことを話したりできる ので、クラスで学ぶことは 楽しいです 。

どこで外国語を学んで いますか。

・私は ＿＿＿＿＿＿＿＿＿ で、＿＿＿＿＿ を学んでいます。

クラスにどんな人が いますか。

・クラスにはいろいろな人がいます。

　　＿＿＿＿＿＿＿＿＿＿＿＿＿＿＿＿＿＿＿＿

　私は＿＿＿＿＿＿＿＿＿＿＿＿＿＿＿＿が、

　＿＿＿＿＿＿＿＿＿＿＿＿＿＿＿＿＿＿。

クラスで学ぶことは どうですか。

・＿＿＿＿＿＿＿＿＿＿＿＿＿＿＿＿ので、

　クラスで学ぶことは ＿＿＿＿＿＿＿＿。

5

（2）ペアかグループの友だちに話しましょう。文を2つ以上ならべて、少し長く話してみましょう。

→ p128

○○さん、日本語のクラスはどうですか。

 ＿＿＿＿＿

ほかの外国語も勉強したことがありますか。

4　しょうらいの計画

1 📖 海外で日本語を勉強している人のサイトを読みましょう。🔊093・094

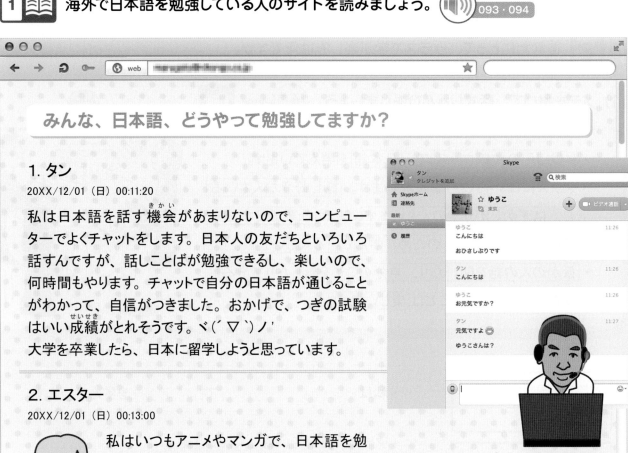

みんな、日本語、どうやって勉強してますか？

1. タン
20XX/12/01（日）00:11:20

私は日本語を話す機会（きかい）があまりないので、コンピューターでよくチャットをします。日本人の友だちといろいろ話すんですが、話しことばが勉強できるし、楽しいので、何時間もやります。チャットで自分の日本語が通じることがわかって、自信がつきました。おかげで、つぎの試験（せいせき）はいい成績がとれそうです。ヾ(´▽`)ノ'
大学を卒業したら、日本に留学しようと思っています。

2. エスター
20XX/12/01（日）00:13:00

私はいつもアニメやマンガで、日本語を勉強しています。おもしろいので、何回も見たり読んだりしていると、自然にことばをおぼえます。でも、教科書（きょうかしょ）のことばはぜんぜんおぼえられません。ふしぎ。それで、つぎの試験は、らくだいしそうです。(>_<)
しょうらい、お金をためて、マンガカフェを始めようと思っています。

2人について、書きましょう。

	タンさん	エスターさん
（1）日本語の勉強方法		
（2）どうしてその方法が好きですか。	□a ねだんが安い □b 話しことばが勉強できる □c 楽しい	□a おぼえやすい □b おもしろい □c 友だちができる
（3）しょうらいの計画		

2 文   V-(よ)うと 思っています

大学を卒業したら、日本に留学しようと思っています。

Expressing that the speaker has the will to do something at the point of the utterance （意向）

< いこうけい   volitional form >

1 グループ		2 グループ		3 グループ	
いきます	いこう	たべます	たべよう	します	しよう
はいります	はいろう	はじめます	はじめよう		

(1) 4人のしょうらいの計画は、何ですか。 095-098

川井さん
❶ b

 アリさん
❷

 山田さん
❸

 ホセさん
❹

 a

 b

 c

 d

(2) 正しい形を書きましょう。 099

しょうらいの計画は？

❶ 川井：タイ語の手紙をほんやくするボランティアを（します → **しようとおもっています**）。

❷ アリ：アニメをつくる会社に（入ります →　　　　　　　　）。

❸ 山田：スペインにフラメンコを（習いに行きます →　　　　　　　　）。

❹ ホセ：日本料理の店を（始めます →　　　　　　　　）。

● あなたはどんな計画がありますか。

3 文　V-そうです　V-そうな N

V ます／V られます ＋ そうです
つぎの試験は、いいせいせきがとれそうです
私にも読めそうな本

Look like, seem（様態、そうなる可能性があること）

ことばを選んで、正しい形を書きましょう。 CHECK! 100

❶ ジョイ ：この本、日本のしょうせつを英語にほんやくしたものです。
　　　　　　よかったら、読んでみてください。

　　八木（やぎ）：ありがとうございます。これなら難しくないから、私にも
　　　　　　（　c よめそうです　）。

❷ 野田（の だ）：このサイトで1日に5つずつ、たんごをおぼえるといいですよ。

　　ジョイ ：そうですか。1日に5つなら、（　　　　　　　　）。

❸ 野田（の だ）：大学のレポートは、もう書けましたか。しめきり * は明日（あした）ですよね。

　　カーラ ：ええ。シンさんにいい本を貸してもらったので、今日中に
　　　　　　（　　　　　　　　）。 　　　　　　　　* しめきり ＝ a deadline

❹ カーラ ：来週、試験があるんです。試験に（　　　　　　　　）
　　　　　　漢字を教えてください。

　　八木（やぎ）：すみません。今日はもう時間、ないんです。
　　　　　　英語の学校に（　　　　　　　　）。また、こんど。

　　　　a できます　　b 出（で）ます　　c 読（よ）めます　　d おぼえられます　　e おくれます

4 文　（数量（すうりょう））も

毎日30分ぐらいチャットをしますが、きのうは3時間もしました。
チャットは楽しいので、何時間もやります。

Indicating emphasis, even（多さを強調する）

助詞（じょし）（も、だけ、しか）を書きましょう。 CHECK! 101

❶ この学校には、外国人の先生が何人（　も　）います。

❷ この学校は、文化イベントが年に何回（　　　　）あるので、楽しみです。

❸ 日本語のコースは、初級、中級、上級の3つ（　　　　）です。

❹ 上級コースは難しいので、学生が4人（　　　　）いません。

❺ この学校の受講料（じゅこうりょう） * は、48,000円（　　　）するので、私はぜったい休みません。

　　　　　　　　　　　　　　　　　　　　　* 受講料（じゅこうりょう）＝ course fees

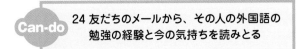 Can-do　24 友だちのメールから、その人の外国語の
勉強の経験と今の気持ちを読みとる

5　カーラさんへのメール

 1　📖　イギリスで仕事をしているさいとうさんが、日本にいるカーラさんにメールを書きました。読んで答えましょう。できるだけはやく読んでみましょう。🔊 102

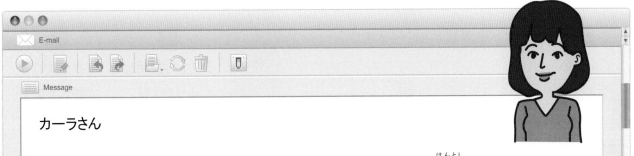

カーラさん

お元気ですか。おひさしぶりです。早いもので、こちらに来てもう半年（はんとし）になります。仕事は忙しいですが、友だちもできて、楽しくやっています。
私の会社のとなりには語学学校（ごがくがっこう）があって、フランス語や英語や日本語（！）を勉強している人たちをよく見かけます。
じつは、私も前はフランス語を習っていましたが、仕事が忙しくなってやめてしまいました。でも、こちらで、語学学校（ごがくがっこう）に通う（かよう）人たちを見て、もう一度始めたくなりました。来月、フランス語のコースに入ろうと思っています。つぎは、がんばってフランス語でメールを書きます。
それでは、また。

さいとう

(1) さいとうさんは、どうしてフランス語の勉強をやめましたか。＿＿＿をひきましょう。

(2) さいとうさんは、どうしてフランス語の勉強をまた始めようと思いましたか。
＿＿＿をひきましょう。

2　あなたは外国語のクラスをとちゅうでやめてしまったことがありますか。
どうしてやめましたか。また始めようと思いますか。クラスで話しましょう。

この時間（120分）ではつぎの4つのことをします。
4 と 5 は何語で話してもいいです。

10分	60分	5分	25分	20分
1 Can-do チェック	**2** 会話テスト（1人ずつ） **3** 読解・文法テスト	休み	**4** テストの説明と ふりかえり	**5** クラスで 話します

1 Can-do チェック

p125-p132 を見なおしましょう。
もう一度やってみたい Can-do を選んで、ペアで練習しましょう。
あなたにとってたいせつな Can-do を選びましょう。

2 会話テスト（1人5分）

（1）質問を聞いて、先生に話をしてください。(Can-do 9/13/18/22)

　例「あなたは今、どんなところに住んでいますか。まとめて話してください。」

（2）カードを読んで、先生と会話をしてください。

例

> あなたは日本人の友だちがいます。その人はあなたの国に来て
> まだ1か月です。食事になれたかどうか、好きなものはあるか
> など、聞いてください。
>
> You have a Japanese friend who came to your country only one month
> ago. Ask him/her if he/she has got used to the local food, what food he/
> she likes, and so on.

会話テストでは勉強したことばをできるだけたくさん使いましょう。
質問がわからないときはもう一度聞きましょう。

< 会話テストの ひょうか >　　Evaluating your performance

	（ 1 ）	（ 2 ）
もっとすごい Magnificent!	みじかなことについて、いろいろなじょうほうを<u>まとめて</u>話すことができる。 Can <u>organise</u> and talk about a variety of information on a familiar subject.	みじかなことについて、自分で会話を始め、つづけ、終わることができる。 Can start, maintain, and end a short conversation on a familiar subject.
ごうかく Well done!	みじかなことについて、<u>文をいくつかならべて</u>話すことができる。 Can relate a straightforward narrative or description <u>as a linear sequence of points</u> on a familiar subject.	みじかなことについて、自分で会話を始め、つづけ、終わることが<u>だいたい</u>できる。 Can <u>for the most part</u> start, maintain, and end a short conversation on a familiar subject.
もうすこし Getting there!	みじかなことについて、<u>たんじゅんな文で</u>言うことができる。 Can produce <u>a simple description</u> / link <u>simple sentences</u> on a familiar subject.	みじかなことについて、自分で会話を始め、<u>助けがあれば</u>、つづけ、終わることもできる。 Can start, maintain, and end a short conversation on a familiar subject <u>with help from others</u>.

3 **読解・文法テスト（60 分）**

問題例は p160 にあります。

4 読解・文法テストの答えをチェックしましょう。質問があったら、先生に聞きましょう。
まちがえた問題をもう一度見てみましょう。

5 4人ぐらいの小さいグループになって、「日本語・日本文化のたいけんきろく」を見て、話しましょう。
グループで話し合ったことを先生やクラスの人にも話しましょう。

1 人生いろいろ

1 ❶ − ❹ の写真は、人生のいろいろなできごととかんけいがあります。
a − e のどれですか。

| ❶ a | ❷ | ❸ | ❹ |

a 結婚する　　　　　　b 入院する　　　　　　c 家族がなくなる
d 子どもが生まれる　　e 恋人とわかれる

● あなたやあなたのまわりの人は最近どんな人生のできごとを経験しましたか。

2 正しいことばを選びましょう。 103

❶ 姉が病気で入院しています。姉が好きな花を持って（　**b おみまい**　）に行きます。

❷ 友だちが留学します。みんなでカードを書いて（　　　　　　　　　）。

❸ 来月、友だちが結婚します。（　　　　　　　　　）にペアのカップをあげます。

❹ 恋人が、海外に転勤したので、会えなくて（　　　　　　　）。

❺ 友だちのお父さんがなくなりました。友だちの家に行って（　　　　　　　）。

a お祝い	b おみまい
c さびしいです	d たいくつです
e なぐさめます	f はげまします

3 結婚するまでに、どんなことがありますか。話しましょう。

（　**a**　）→（　　　）→（　　　）→（　　　）→（　　　）

a 知り合う	b プロポーズする
c 結婚式をする	d つき合う
e いっしょにくらす	

 漢字のことば KANJI 104

相手　気持ち　恋人　出会い　最近
あいて　きも　こいびと　であ　さいきん

最高　出席　招待　〜合う（知り合う）
さいこう　しゅっせき　しょうたい　あ　し あ

Can-do 25 友だちの最近のニュースについて
別の友だちと話す

2 ほんとうですか

 下の4人について友だちが話しています。 🔊 105-108

相手の人

① のりかさん

② 吉田さん

③ 川野さん

④ キムさん

	のりかさん	吉田さん	川野さん	キムさん
(1)	b			
(2)	f			

(1) 最近、4人にどんなことがありましたか。

a

b

c

d

e

(2) 4人のために友だちは何をしますか。　　f お祝い　　g 食事　　h おみまい　　i メール

 「＿＿＿ でしょうね」「＿＿＿ しよう と思うんですが」

(1) のりかさんは、今、きっと幸せでしょうね。
　・吉田さんは、病院でたぶん（たいくつです → 　　　　　　　　　　　）。
　・キムさんは、転勤が決まって、きっと（うれしいです → 　　　　　　　　　　　）。
　・のりかさんの結婚をご両親もきっと（喜んでいます → 　　　　　　　　　　　）。

(2) のりかさんに、何かお祝いをしようと思うんですが。
　・明日、おみまいに
　　（行きます → 　　　　　　　　　　　）。
　・川野さんにメールを書いて、
　　（なぐさめます → 　　　　　　　　　　　）。
　・キムさんをはげますために、食事に（さそいます → 　　　　　　　　　　　）。

> いこうけい（volitional form）
> します → しよう
> いきます → いこう
> さそいます → さそおう
> なぐさめます → なぐさめよう

3 だれかの最近のニュースについて話しましょう。 Can-do 25 → p129

聞きましたか。 のりかさん、結婚するそうです よ。

知ってますか。

ほんとうですか。

そうですか。

だれと？／いつ？

どうしたんですか。

日本祭で知り合った人だ そうです。

じゃあ、 今、きっと幸せでしょう ね。

それで、 何かお祝いをしよう と思うんですが。

いいですね。そうしましょう。

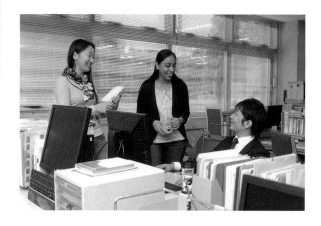

私もいっしょに
お願いします。

ことばと文化

友だちのうわさを聞いておどろいたとき、何と言いますか。 109

聞きましたか。
川野さん、恋人と
わかれたそうですよ。

a「へえ、そうですか。」　　b「えっ、ほんとうですか。」

c「えっ、うそ！」　　　　d そのほか＿＿＿＿＿＿＿

Can-do　26 友だちについて聞いた話を
ほんにんにたしかめる

3 おめでとう、お幸せに！

 3人はいっしょに食事をしながら、最近のことを
話しています。 110

（1）会話を聞きましょう。どんなことを話していますか。

（2）（　）に入る文を選んで、もう一度聞きましょう。

パウロさん　のりかさん　森さん

| a 相手の人はどんな人ですか | b のりかさん、聞きましたよ |
| c もちろん、喜んで | d あのう、どうやって知り合ったんですか |

パウロ：（ ❶　　b のりかさん、聞きましたよ　　）。結婚するそうですね。

のりか：ええ、そうなんです。

パウロ：おめでとうございます。よかったですね。
　　　　（ ❷　　　　　　　　　　　　　　　）。

のりか：ブラジルの人で、銀行に勤めてます。

森　　：聞きましたよ。やさしい人なんですよね。

のりか：ええ。

パウロ：そうですか。（ ❸　　　　　　　　　　　　　）。

のりか：じつは、おととしの日本祭のとき、初めて会ったんです。

森　　：ああ、のりかさんとかれは、日本祭でボランティアとして働いてましたよね。

パウロ：へえ。結婚式は？

のりか：5月です。森さんも、パウロさんも、招待しますから、ぜひ出席してくださいね。

パウロ：（ ❹　　　　　　　　　　　　　　　）。

 「＿＿＿＿ よ」／「＿＿＿＿ ね」／「＿＿＿＿ よね」

上の会話のどこにありますか。どんなときに使っていますか。

　　例　のりかさん、聞きました<u>よ</u>。

のりかさん、聞きましたよ。
結婚する そうですね。

 1 の会話をグループで練習しましょう。
つぎに、ことばや文をかえて練習しましょう。 Can-do 26 → p129

ええ、そうなんです。

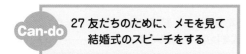
Can-do 27 友だちのために、メモを見て
結婚式のスピーチをする

4 結婚式のスピーチ

 メモを見て、結婚式のお祝いのスピーチをしましょう。 Can-do 27 → p129

れんしゅうちゅう

のりかさん、ジョージさん、ご結婚おめでとうございます。
❶ 私は、のりかさんと同じ会社に勤めているパウロともうします。
❷ のりかさんは、とてもやさしい人です。
私が仕事でこまっているとき、いつもたすけてくれます。
のりかさんの話では、ジョージさんもとてもやさしい人だそうです。
❸ ふたりの家庭は、きっと明るくて、あたたかい家庭になると思います。
すえながいお幸せをおいのりしています。

6

❶ 結婚する人と
あなたのかんけい

❷ 結婚する人について

❸ あなたの考え

_____ さん、_____ さん、ご結婚おめでとうございます。

私は、_____

_____ ともうします。

_____

_____

_____

ふたりの家庭は、きっと_____

_____ と思います。

すえながいお幸せをおいのりしています。

すてきな家庭を作ってください。

Can-do　28 サイトのきじから、結婚するふたりがどんな
結婚式をしたいか読みとる

5 ふたりの気持ち

1 📖 結婚式についてふたりはどう考えていますか。サイトのきじを読みましょう。

🔊 111・112

Marugoto Happy Wedding

婚約中(こんやくちゅう)のおふたりに
インタビュー！

Marugoto Happy Wedding ＞ 結婚準備 ＞ インタビュー

Q ご婚約(こんやく)、おめでとうございます。
これから結婚式の準備(じゅんび)を始めるそうですが、どんな結婚式にしたいですか。

★ のりかさん

一生(いっしょう)に一度のことだから、最高の結婚式にしたいです。もちろん
いろいろ準備(じゅんび)しなければなりません。お金もかかります。
でも、できるだけたくさんの人に来てもらいたいです。特(とく)に、小さい
ときからかわいがってくれたそぼには、私たちの幸せなすがた*を見
せてあげたいです。私の気持ち、ジョージもきっとわかってくれると思います。

* すがた ＝ appearance

★ ジョージさん

ぼくは、結婚式はしなくてもいいです。家族やしたしい友だちとお祝いすれば
じゅうぶんです。それにぼくたちはお金持ちじゃないから、お金は結婚式や
パーティーよりふたりの新しい生活のために使った方がいいと思います。
でも、のりかにとって大きな結婚式をすることがだいじなら、それでもいいです。
やっぱり、のりかの願いを聞いてあげたいです。それがぼくの気持ちです。

かわいがります

（1）ふたりの気持ちはどれですか。

❶ のりかさん　（　　　　）　　❷ ジョージさん　（　　　　）

a お金は結婚してからの生活に使いたいです。

b 結婚式のためにお金をたくさん使ってもいいです。

c 結婚式にたくさんの人を招待したいです。

d 結婚式はあまりだいじじゃないです。

（2）ふたりはどうすると思いますか。

2 文 [V-て あげます]

（私は）のりかの願いを聞いてあげます。

Indicating that the subject performs an action that he/she considers beneficial for someone（利益、恩恵を与える）

（1）ことばを選んで、正しい形を書きましょう。 113

> 結婚するふたりのために、どんなことをしてあげますか。

❶ フリオ：友だちみんなでパーティーをして、ふたりの結婚を（ **a いわって**あげます）。

❷ 森：結婚式の前は忙しいので、じゅんびを（　　　　　　　　　　　あげます）。

❸ おばあさん：のりかは私のかわいいまごです。
何があっても結婚式に（　　　　　　　　　　　あげたいです）。

❹ パウロ：結婚式の日、ふたりのビデオを（　　　　　　　　あげようと思います）。
のりかさん、きれいでしょうね。

❺ ロザナ：私は、結婚式でピアノを（　　　　　　　　あげようと思います）。
今、ふたりの好きなきょくを練習しています。

> a 祝います　　b 出席します　　c てつだいます　　d ひきます　　e とります

● きょうだいやしたしい友だちが結婚するとき、何をしてあげますか。

（2）結婚式のパーティーで話しています。会話を聞いて、正しい方を選びましょう。

 114-118　 119・120

> ジョージさんのどんなところが好きですか。

❶ 入院したとき、ジョージは毎日おみまいに来て
（ a もらいました　ⓑ くれました ）。

❷ ジョージにダンスを教えて（ a あげました　b もらいました ）。

❸ 結婚式のあと、ジョージにきれいな島につれていって
（ a あげます　b もらいます ）。

④ よくのりかにケーキを作って（ a あげます　b もらいます ）。

のりかはたくさん食べて、

「おいしい」と言って（ a あげます　b くれます ）。

⑤ 仕事で日本についてレポートを書いたとき、

のりかにてつだって（ a あげました　b もらいました ）。

3 文 　V- なくても いいです／だいじょうぶです

大きなパーティーはしなくてもいいです。

Do not need to do V / It is all right if... not...

日本の結婚式について聞きましょう。

① - ④ は正しいですか。（正しい ○、正しくない ×） 🔊 121-124

① 招待状 * がなくてもだいじょうぶです。　　　(　× 　)

② お祝いのお金を持っていかなくてもいいです。　(　　　)

③ お寺や神社でしなくてもいいです。　　　　　　(　　　)

④ 男の人は白いネクタイをしなければなりません。(　　　)

* 招待状（しょうたいじょう）= an invitation card

● あなたの国の結婚式はどうですか。

Can-do 29 結婚についてしらべたけっかを読んで、
だいじなポイントをりかいする

6 結婚相手はどんな人?

・・

1 📖 日本の若い人たちに、結婚相手についてアンケートをしました。アンケートのけっか
を読みましょう。

(1) 読む前に考えましょう。 ❶ - ❸ は正しいと思いますか。
（正しい ○、正しくない ×）

	(1) あなたの答え	(2) 答え
❶ 日本では、しょくばで結婚相手を見つける人が多いです。		
❷ 日本では、女性は、きゅうりょうが高い人と結婚したいと思っています。		
❸ 日本では、男性は、家事が上手な人と結婚したいと思っています。		

(2) 読んで答えましょう。 ❶ - ❸ は正しいですか。（正しい ○、正しくない ×） 🔊 125

6

　20代、30代の男女への最近のアンケートによると、結婚相手と知り合ったきっかけで一番多いのは、職場での出会いです。つぎに多いのは、友だちの紹介、そして学校での出会いです。近ごろはインターネットで知り合って結婚する人もいます。
　結婚を決めた理由は、女性のばあい、「家族とのつき合いやお金についての考え方がにているから」、男性のばあい、「いっしょにいて、ほっとするから」が一番多いです。
　女性も男性も、価値観*がにている人や自分とせいかくが合う人と結婚したいと思っています。

* 価値観（かちかん） = sense of values

 2 あなたやあなたのまわりの人はどうですか。
クラスで話しましょう。

・ 結婚相手とどうやって知り合い
　ましたか。
・ 結婚を決めたりゆうは何ですか。

Can-do 30 ほかの人の心配なようすについて話す

1 人はなやむ

  Can-do 30 (🔊) → p130

大山さん、
どうしたんでしょうね。

大山さん

ちょっと心配ですね。

ええ。なんだか
元気がないですね。

● なやんでいるとき、こまっているとき、あなたはどうなりますか。

例　・元気がなくなる　　　　　　・あまり人と話さなくなる
　　・心配でねむれなくなる　　　・_____

---

2 正しいことばを選びましょう。

なやんでいるとき、あなたはどうしますか。

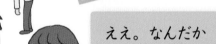

1 だれかに（　　**c 相談する**　　）

2 自分ひとりで（　　　　　　　　　）

3 サイトやしんぶんに（　　　　　　　　）

4 好きなことをして気分を（　　　　　　）

5 そのほか_____

┌─────────────────────────────────────┐
│ a 変える　　b 考える　　c 相談する　　d とうこうする │
└─────────────────────────────────────┘

3 正しいことばを選びましょう。

友だちがなやんでいたら、あなたは何をしてあげますか。

① こえを（ b かける ）

② 話を（　　　　　）

③ <ruby>相談<rt>そうだん</rt></ruby>に（　　　　　）

④ そばに（　　　　　）

⑤ そのほか _____

a いる　　b かける　　c 聞く　　d のる

4 1つ選びましょう。<ruby>何<rt>なん</rt></ruby>のなやみですか。

① 兄に 30 万円貸しましたが、返してくれません。（　　　g お金　　　）

② 最近、恋人が私に会ってくれません。（　　　　　）

③ 学校でなまいきだと言われます。（　　　　　）

④ 働きたいんですが、いい会社が見つかりません。（　　　　　）

⑤ 夫・妻の親と考え方がちがいます。（　　　　　）

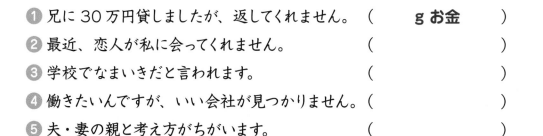
a <ruby>恋愛<rt>れんあい</rt></ruby>　　b 結婚・家庭　　c <ruby>人間関係<rt>にんげんかんけい</rt></ruby>　　d 仕事

e 生活　　f 健康（体や<ruby>心<rt>こころ</rt></ruby>）　　g お金

● あなたはどんなことでなやみますか。

  126

社会人　職場　給料　人間関係
しゃかいじん　しょくば　きゅうりょう　にんげんかんけい

親友　恋愛　相談　心　心配　不安
しんゆう　れんあい　そうだん　こころ　しんぱい　ふあん

2 最近、元気がないですね

1 👂 4人は元気がありません。 127-130

	① カーラさん	② 大山さん	③ ホセさん	④ ゆうこさん
(1)	a			
(2)	×			

（1）どうして元気がありませんか。

 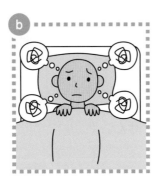  

（2）4人は友だちに相談しますか。（はい ○、いいえ ×）

2 👁 「＿＿＿ て／Nのことで ＿＿＿」

Nのこと
仕事のこと　うちのこと

A： きょうは元気がないですね。

B： ちょっとつかれて(い)て［元気がありません］。／仕事のことでちょっと［こまっています］。

・ ちょっと(寝て(い) ない →　　　　　　　　　　　　　　　　)。
・ ちょっと朝ご飯、(食べて(い) ない →　　　　　　　　　　　　　　　)。
・ ちょっと(うち →　　　　　　　　　　　　　)。
・ (子ども →　　　　　　　　　　) ちょっと…。

3 いつも_____かけましょう。 Can-do 31 → p130

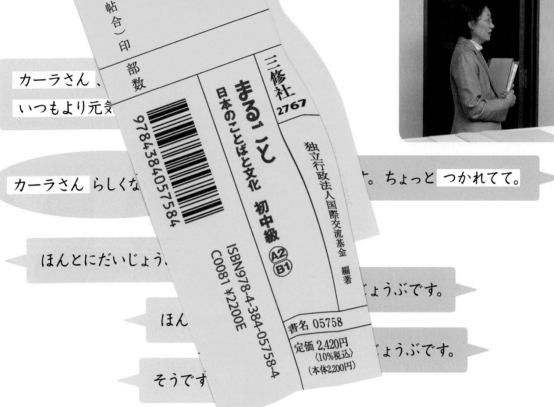

カーラさん、____
いつもより元気____

カーラさん らしくな____ ____。ちょっと つかれてて。

ほんとにだいじょう____

____じょうぶです。

ほん____

____じょうぶです。

そうです____

私でよかったら、
相談にのりますよ。

すみません。
じつは、仕事 のことでちょっと…。

じゃあ、座って話しましょう。

ことばと文化

人の話を聞いているとき、どのようにしますか。

　a 「へえ」、「ふうん」、「そうですか」などと言う。
　b 相手の目をじっと見る。
　c わらっている。
　d くびをふる（たて、よこ）。
　e そのほか_____

3 社会人のなやみ

 3人は「社会人のなやみランキング」を見ながら、話しています。　131

（1）会話を聞きましょう。どんなことを話していますか。

（2）（　　）に入る文を選んで、もう一度聞きましょう。

a 何ですか	b どう思いますか
c これはいがいです	d みんなたいへんですね
e よくわかります	

さとうさん　　ホセさん　　鈴木さん

さとう：ちょっとこれ見てください。

ホセ　：（❶　　　　a 何ですか　　　　）。

さとう：社会人のなやみランキングなんですが、（❷　　　　　　　　　　　）。

ホセ　：うーん、やっぱり人間関係が一番多いですね。（❸　　　　　　　）。
　　　　私の職場でも、同じかもしれません。

鈴木　：心の健康も多いですね。
　　　　やっぱり、人間関係に問題があると、心の病気になるかもしれませんね。

ホセ　：「時間がない」は少ないですね。（❹　　　　　　　　　）。
　　　　どうしてかなあ。ぼくは、今、ほんとに忙しいから。

鈴木　：え、そうですか。私はそれより、今、仕事がおもしろくなくて…。

さとう：（❺　　　　　　　　　）。じゃあ、今夜、飲みに行きましょうか。

ホセ　：そうしましょう。なやみは人に話すと、すっきりしますよ。

鈴木　：そうですね。

2 👁 「＿＿＿＿　かもしれません」

私の職場でも、同じかもしれません。

　　・職場では人間関係のなやみが一番（ 多いです →　　　　　　　　　　）。

　　・人間関係に問題があると、心の病気に（ なります →　　　　　　　　　　）。

　　・今の社会で、ストレスがない人は（ いません →　　　　　　　　　　）。

社会人のなやみについてしらべて、話しましょう。

（1）あなたのまわりの人に、どんななやみがあるか聞いて、人数（にんずう）を書いてください。

1人2つ以上答えてもいいです。

＜社会人のなやみランキング＞

	例／[10人]	（1）[　人]		例／[10人]	（1）[　人]
1 職場の人間関係	7		6 結婚	2	
2 給料が安い	3		7 しょうらいが不安	4	
3 心の健康	6		8 体の健康	1	
4 家族関係	2		9 時間がない	2	
5 仕事がおもしろくない	3		10 お酒・タバコ	0	

（2）メモを書いて、グループの友だちに話しましょう。文を2つ以上ならべて、少し長く話してみましょう。

Can-do 32  → p130

・私は 10人の人（ひと） に、どんななやみがあるか聞きました。

・一番多かったのは、「職場の人間関係」です。

・二番目に多かったのは、「心の健康」です。

・「人間関係」や「心の健康」が多いのは、よくわかります。
私の職場も同じかもしれません。
「結婚」が少ないのは、いがいでした。私はみんなもっと
心配していると思っていました。　132

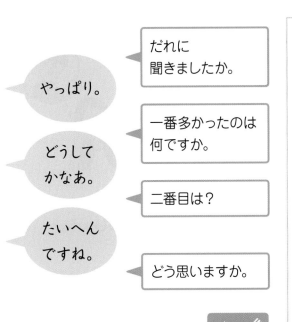

やっぱり。

だれに
聞きましたか。

どうして
かなあ。

一番多かったのは
何ですか。

二番目は？

たいへん
ですね。

どう思いますか。

・私は　　　　　　　　　　　　　　　　に、
　どんななやみがあるか聞きました。

・一番多かったのは、　　　　　　　　　　
　　　　　　　　　　　　　　　　です。

・二番目に多かったのは、　　　　　　　　
　　　　　　　　　　　　　　　　です。

・　　　　　　　　　　　　　　　　　　　
　　　　　　　　　　　　　　　　　　　。

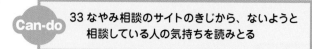
33 なやみ相談のサイトのきじから、ないようと
相談している人の気持ちを読みとる

4 こまった友だち

 なやみ相談のサイトを読みましょう。 133

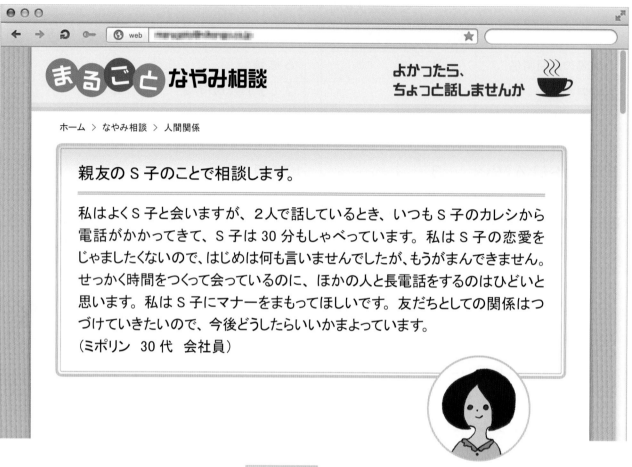

まるごと なやみ相談

よかったら、
ちょっと話しませんか

ホーム ＞ なやみ相談 ＞ 人間関係

親友のS子のことで相談します。

私はよくS子と会いますが、2人で話しているとき、いつもS子のカレシから
電話がかかってきて、S子は30分もしゃべっています。私はS子の恋愛を
じゃましたくないので、はじめは何も言いませんでしたが、もうがまんできません。
せっかく時間をつくって会っているのに、ほかの人と長電話をするのはひどいと
思います。私はS子にマナーをまもってほしいです。友だちとしての関係はつ
づけていきたいので、今後どうしたらいいかまよっています。
（ミポリン　30代　会社員）

ミポリン

（1）どのイラストが正しいですか。

（2）ミポリンさんはS子さんがしたことをどう思っていますか。＿＿＿＿をひきましょう。

（3）ミポリンさんは自分の気持ちをまだS子さんに話していません。どうしてだと思いますか。
　　　＿＿＿＿をひきましょう。

２文 S1 (ふつうけい plain form)＿＿ のに、 S2

せっかく会っているのに、友だちはカレシと
長電話をします。

'S' = Sentence 'S1 のに S2' indicates that S2 differs from the result which was naturally expected to follow S1.
(結果 S2 が予測と違う。) N だ → N なのに ／ ナＡ だ → ナＡ なのに

（1）正しい形を書きましょう。そして、うしろの文を選びましょう。

リサさん

> サビタさんのひみつを、ほかの人に言ってしまって、
> 関係が悪くなってしまいました。

❶ メールで（あやまりました → **あやまった**　）のに、
　サビタさんは＿＿＿＿**c まだおこっています**＿＿＿＿。

❷ 今日、会社でこえを（かけました →　　　　　）のに、
　サビタさんは＿＿＿＿＿＿＿＿＿＿＿＿＿＿＿。

❸ せっかくコーヒーを（いれてあげました →　　　　　）のに、
　＿＿＿＿＿＿＿＿＿＿＿＿＿＿＿。

❹ いつもいっしょに昼食を（食べます →　　　　　）のに、
　＿＿＿＿＿＿＿＿＿＿＿＿＿＿。

サビタさん

> a へんじをしてくれませんでした　　　b 今日はひとりです
> c まだおこっています　　　d いらないと言われました

（2）会話を聞いて、文を選びましょう。正しい形を書きましょう。 135-138　 139

大山さん

> 会社の飲み会が多くて、こまっています。

＊わりかん ＝ splitting the bill

❶（　**a おさけはすきじゃない**　）のに、すすめられます。

❷（　　　　　　　　　）のに、つぎの店にさそわれます。

❸（　　　　　　　　　）のに、わりかん＊でお金をはらいます。

❹（　　　　　　　　　）のに、なまいきだと言われました。

> a お酒は好きじゃないです　　　b 早く帰りたいです
> c 新人です　　　d あまり飲んだり食べたりしません

3 文 （N（ひと）に） V-て／ V-ないで ほしいです

（S子に）マナーをまもってほしいです。
（S子に）長電話をしないでほしいです。

would (not) like someone to do something

（1）会話を聞きましょう。 🔊 140・141

ようこさんとしょうくんは、かずおさんについてどう思っていますか。選びましょう。

❶ ようこさん（妻）

かずおさん（夫・父）

❷ しょうくん（むすこ）

> a 週末のやくそくをまもってくれません。かなしいです。
> b たいせつな話があるのに、聞いてくれません。こまります。
> c 最近、お酒を飲みすぎています。心配です。

（2）もう一度聞いて、ことばを選んで正しい形を書きましょう。 🔊 CHECK! 142

3人は、どう思っていますか。

ようこさんはかずおさんに

❶ もっと早く（ **b かえってきてほしい** ）です。

❷ 子どもの問題について、いっしょに（ 　　　　　　　　　 ）です。

しょうくんはかずおさんに

❸ 休みの日にはいっしょに（ 　　　　　　　　　 ）です。

❹ お母さんと（ 　　　　　　 ）と思っています。

かずおさんは家族に

❺ いっしょうけんめい働いているので、

あまりむりを（ 　　　　　　 ）と思っています。

> a あそびます　　 b 帰（かえ）ってきます　　 c 考（かんが）えます
> d します　　 e 言（い）いません　　 f けんかしません

● あなたは家族や会社の人に何をしてほしいですか。

＿＿＿＿＿に＿＿＿＿＿＿＿て／ないでほしいです。

Can-do 34 なやみ相談へのアドバイスを読んで、
だいじなポイントをりかいする

5 はっきり言いましょう

・・・

1 📖 p92 の相談へのアドバイスを 2 つ読みましょう。

つぎの文はア、イのどちらに入りますか。🔊 CHECK! 143・144

> a 友だちなら、言いにくいこともはっきり言ってあげた方がいいと思います。
>
> b しばらく、S子さんと会わないようにしてはどうですか。

●●● 🖥 web ⬅ ➡ 🔄 🔒 🌐 web [▓▓▓▓▓▓▓▓▓▓▓▓▓▓▓] ⭐ [　　　]

まるごと なやみ相談 　　よかったら、ちょっと話しませんか

ホーム ＞ なやみ相談 ＞ 人間関係

アドバイス（1）

ミポリンさんへ

人と会っているときに、ほかの人と長電話をしてはだめですよね。ミポリンさんの気持ち、よくわかります。私の友だちも同じことをしていました。いつもそうなので、私は友だちに、電話は後にしてほしいとはっきり言いました。そうしたら、やめてくれましたよ。

| ア |

それがほんとうの友だちです。　　　　　　　　　　　　　　　　（ウルトラのママ）

アドバイス（2）

ミポリンさんへ

S子さんにとって今いちばんたいせつなのは、親友のあなたじゃなくて、カレシだと思います。だから、あなたが何を言っても、S子さんは変わらないかもしれませんよ。

| イ |

そしてときどき、電話でS子さんの話を聞いてあげたらいいんじゃないかと思います。その方がきっとおたがいハッピーです。　　　　　　　　　　　（ドクタートランプ）

---

2 あなたはどちらのアドバイスがいいと思いますか。

ほかのいけんがありますか。クラスで話しましょう。

1 ▎空港の中

1 つぎのとき、どこに行きますか。(a - d)

❶ 忘れ物を受けとります。　　　　　　　　(　d　)

❷ 飛行機に乗る手続きをします。　　　　　(　　)

❸ 到着してから、荷物を受けとります。　　(　　)

❹ 飛行機の中に入ります。　　　　　　　　(　　)

● 空港でトラブルにあったことがありますか。どんなトラブルでしたか。

2 空港のアナウンスです。正しいことばを選びましょう。 145

20分ほど = ぐらい

❶ JF 航空 115 便を（　**f ご利用**　）のお客様にお知らせします。

❷ JF 航空パリ（　　　　　　　）115 便は、キャンセルになりました。　* かいしする = to start

❸ 105 便は、（　　　　　　　）20 分ほどで、チェックインの手続きをかいしします*。

❹ 205 便は、1 時間おくれて出発します。午後 2 時 30 分になる（　　　　　　　）です。

❺ 305 便は、出発ゲートが（　　　　　　　）になりました。

❻ 115 便は、エンジンの（　　　　　　　）のため、キャンセルになりました。

a あと　　b こしょう　　c 行き　　d 予定　　e 変更　　f ご利用

3 関係を考えて、ことばを選びましょう。

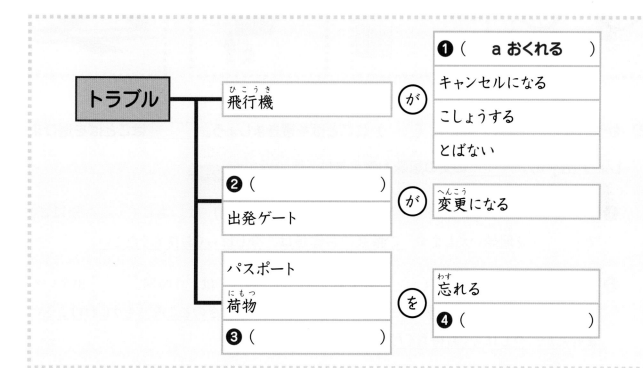

```
                            ❶（　　a おくれる　　）
                            キャンセルになる
トラブル ─── 飛行機  が     こしょうする
                            とばない

        ┌── ❷（　　　　　）
        │   出発ゲート  が   変更になる
        │
        │   パスポート       忘れる
        └── 荷物      を     ❹（　　　　　）
            ❸（　　　　　）
```

a おくれる　　b スーツケース　　c まちがえる　　d 到着時間

 146

お客様　手続き　飛行機　変更　予定　利用
きゃくさま　てつづ　ひこうき　へんこう　よてい　りょう

忘れ物　助ける　〜航空（JF 航空）　〜便（115 便）
わす もの　たす　こうくう　こうくう　びん　びん

Can-do　35 空港でアナウンスがわからない
ときに、ほかの人に聞く／答える

2 今のアナウンス、何て言ってましたか

1 🦻 空港にいる人たちが日本語のアナウンスを聞いて話しています。 🔊 147-150

（1）どんなアナウンスでしたか。

❶ c	❷	❸	❹

（2）もう一度アナウンスを聞いて、（　　）にことばを書きましょう。□□はことばを選びま

しょう（a - e）。＿＿＿の文の意味も考えましょう。 🔊 151-154

❶ お知らせします。JF 航空（　　　便）（　　　　行き）は、あと（　　　分ほど）
で □□□ を開始いたします。ご搭乗のお客様は、今しばらくお待ちください。

❷ お知らせします。JF 航空（　　便）（　　　　行き）は、1時間 □□□ 出発いた
します。ご搭乗は（　時　　分）になる予定です。お急ぎのところ、もうしわけござい
ませんが、今しばらくお待ちください。

❸ お知らせします。JF 航空（　　便）（　　　　行き）は、出発ゲートが □□□ に
なりました。ご搭乗のお客様は、25 番ゲートにおこしください。

❹ JF 航空よりお知らせいたします。JF 航空（　　便）は、エンジンの □□□ のため
□□□ になりました。ごめいわくをおかけすることをおわびいたします。

a 搭乗手続き	b 変更	c 故障	d おくれて	e キャンセル

2 「＿＿＿＿＿ そうです」

A：今のアナウンス、何て言って (い) ましたか。

B：もうすぐ飛行機に<u>乗れる</u>そうです。

・ あと 20 分ほどで、手続きが (始まります →   **はじまるそうです**   )。

・ 飛行機の出発が 1 時間 (おくれます →   )。

・ 出発ゲートが (変わりました →   )。

・ 今日は天気が悪くて、飛行機が (とびません →   )。

3 空港でだれかにアナウンスのないようを聞きましょう。 → p131

すみません。
あのう、同じフライト／飛行機ですか。

はい。

今のアナウンス、何て言ってましたか。

もうすぐ乗れる そうです。

あと 20 分ほどで、手続きが始まる そうです。

そうですか。ありがとうございました。

● アナウンスがわからなかったとき、どんな人に
聞きますか。

ことばと文化

旅行中、知らない人に何か聞くとき、はじめにどう言いますか。

a「ちょっとすみません。」   b「あのう、同じフライトですか。／このあたりの方ですか。」

c「ちょっと教えてくださいませんか。」   d 知らない人には何も聞きません。

e そのほか＿＿＿＿＿＿＿＿＿＿＿＿＿＿＿

Can-do　36 自分がどこで何をしていたか、思い出して言う
　　　　37 どこかに忘れ物をした友だちを助ける

　あった、あった

1 石川さんは帰国するので、見送りのタイラーさんと空港に来ました。　155

（1）会話を聞きましょう。空港でどんなことがおこりましたか。

（2）（　）に入る文を選んで、もう一度聞きましょう。

a とりに行きましょう　b どうでしたか　c どうしたんですか　d よく思い出してください

石川　　：あ、しまった！

タイラー：（❶　　　c どうしたんですか　　　　）。

石川　　：どうしよう！ かばんが1つない。どこかに忘れたかな。

タイラー：どこに？（❷　　　　　　　　　　　　　）。

石川　　：ええと、チェックインしたときは、あった。チェックインした後で、カフェでお茶を飲んだ。お金をはらうときも、あった。それからトイレに入った。あ、手を洗うとき、そばにおいて、そのあと？ わかった、たぶんトイレです。

タイラー：（❸　　　　　　　　　　　　　）。

石川　　：あるかなあ。

タイラー：あるかもしれませんよ。とにかく行ってみましょう。

タイラー：（❹　　　　　　　　　　　　　）。

石川　　：あった、あった。ありました。よかった！

タイラー：よかったですね。さあ、行きましょう。

V た後で

とにかく

2 ていねいたい・ふつうたい 3　formal style and informal style 3

（1）石川さんのことばをよく見て、ふつうたいに＿＿＿、ていねいたいに〰〰をひきましょう。

　　例　ある　あります

（2）石川さんはことばをどう使っていますか。

・タイラーさんに話すとき（ふつうたい　ていねいたい）
・ひとりで話すとき　　　　（ふつうたい　ていねいたい）

3 1 の会話をペアで練習しましょう。つぎに、ことばや文をかえて練習しましょう。

あ、しまった！　　　どうしたんですか。

Can-do
36,37　 → p131

Can-do 38 だれかに助けをもとめる

4 トラブルのときのことば

1 いろいろなトラブルのとき、日本語でどう言いますか。ことばを選びましょう。 156

| ❶ b | ❷ | ❸ | ❹ | ❺ | ❻ |

a 助けて！／助けてくれ！　　b すみません、だれか！
c どろぼう！　　d 火事だ、にげろ！／火事です、にげてください！
e すみません、おります！

2 a－eのことばを練習しましょう。 → p131

5　海外旅行のトラブル

1 あべれいなさんのブログを読みましょう。 157

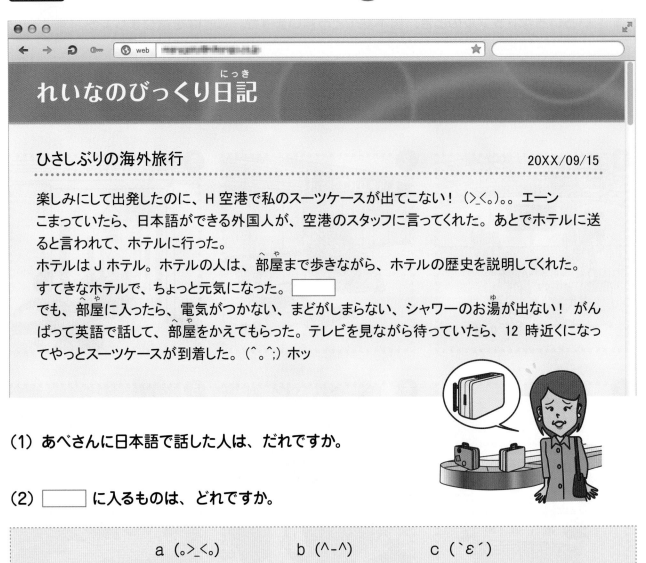

れいなのびっくり日記

ひさしぶりの海外旅行　　　　　　　　　　　　　　　　　20XX/09/15

楽しみにして出発したのに、H 空港で私のスーツケースが出てこない！（>＜。）。。エーン
こまっていたら、日本語ができる外国人が、空港のスタッフに言ってくれた。あとでホテルに送
ると言われて、ホテルに行った。
ホテルは J ホテル。ホテルの人は、部屋まで歩きながら、ホテルの歴史を説明してくれた。
すてきなホテルで、ちょっと元気になった。　　　　
でも、部屋に入ったら、電気がつかない、まどがしまらない、シャワーのお湯が出ない！ がん
ばって英語で話して、部屋をかえてもらった。テレビを見ながら待っていたら、12 時近くになっ
てやっとスーツケースが到着した。(ˆ。ˆ;) ホッ

（1）あべさんに日本語で話した人は、だれですか。

（2）　　　　 に入るものは、どれですか。

　　　a (。>_<。)　　　　b (^-^)　　　　c (`ε´)

（3）あべさんのへやにはトラブルがありました。あべさんはどうしましたか。
　　　　　　　をひきましょう。

2 文

| | （人が）N を V（他動詞 transitive verb） | ホテルの人が電気をつけます。 |

（人が）N を V（他動詞 たどうし transitive verb）　ホテルの人が電気をつけます。

N が V（自動詞 じどうし intransitive verb）　電気がつきます。

	N を V（他）	グループ	N が V（自）	グループ
電気／エアコン	つけます	2	つきます	1
	けします	1	きえます	2
まど／ドア	あけます	2	あきます	1
	しめます	2	しまります	1
おゆ／水	だします	1	でます	2
	とめます	2	とまります	1

つけます

つきます

（1）聞いて、選びましょう。  158-161

ホテルで、4人のお客さんがこまっていることは何ですか。

| ❶ | d | ❷ | | ❸ | | ❹ | |

302号室（さんぜろに ごうしつ）

a

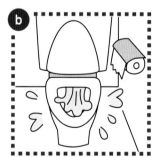

b

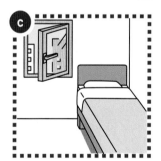

c

d

（2）正しいことばを1つ選びましょう。 162

❶ ベッドのそばの電気が（　c きえない　）ので、受付に電話しました。

❷ ホテルの人は、へやのエアコンを（　　　　　　　）。

❸ へやに入ったら、まどが（　　　　　　　）ままでした。

❹ ホテルの人は、トイレの水を（　　　　　　　）。

---

a つきました　　b つけました　　c きえない　　d けさない

e あいた　　　f あけた　　　g 止めました　　h 止まりました

V-ます + ながら
ホテルの人は、歩きながら、あべさんにホテルの歴史を説明しました。

V1 and V2 are done at the same time.（2つの動作が同時に行われる）

（1）ことばを選んで、正しい形を書きましょう。 CHECK! 163

飛行機に乗るまでに、空港で何をしましたか。

❶ パウロさんは、カフェでコーヒーを（ **d のみながら** ）、メールをチェックしました。

❷ 私は、マッサージを（　　　　　　　　　）、ねむってしまいました。

❸ 子どもたちは、おかしを（　　　　　　　　　）、ゲームをしていました。

❹ アリさんは、サインを（　　　　　　　　　）、出発ゲートをさがしました。

❺ 私のむすめは、空港で（　　　　　　　　　）、友だちとわかれました。

a なきます　 b 見ます　 c してもらいます　 d 飲みます　 e 食べます

● あなたは出発の時間まで、何をしながら、待ちますか。

（2）聞いて、選びましょう。 164-168

飛行機の中で、いつもどうすごしますか。

 d　　 　　 　　 　　

（3）ことばを選んで、正しい形を書きましょう。 169

❶ お酒を（ **d のみながら** ）、ゆっくり映画を見ます。

❷ コンピューターで、ずっと（　　　　　　　　　　）。

❸ ガイドブックを（　　　　　　　　　　）、旅行の計画をたてます。

❹ 外国語の勉強を（　　　　　　）、（　　　　　　　　）しています。

❺ となりに座った人と（　　　　　　　　　　）、すごします。

a します　 b 仕事をします　 c 寝ます　 d 飲みます　 e 話します　 f 読みます

40 サイトのきじから、書いた人が経験した旅行中
のトラブルと、それを今どう考えているか読みとる

6 ブログへのコメント

 八木さんは、あべさんのブログを読んで、コメントを書きました。
コメントを読んで答えましょう。
できるだけはやく読んでみましょう。 170

れいなのびっくり日記

Commented by 八木　　　　　　　　　　　　　　　　20XX/09/16

あべさん、たいへんな旅行でしたね。
ぼくも去年の旅行ではなぜかトラブルが多くて、ひどい目にあいました*。
飛行機はおくれる、ホテルのエレベーターは止まる、トイレの水はながれない…。
へたな英語で人にたのんだり、親切な人に助けてもらったりしました。たいへんでしたが、
「やればできる」と思いました。
それに、外国で親切にしてもらうのは、旅行のいい思い出になりますよね。ぼくも日本では
外国の人に親切にしてあげたいなと思っています。

* ひどい目にあう = to face disaster

（1）八木さんは、旅行中トラブルがあったとき、どうしましたか。＿＿＿をひきましょう。

（2）八木さんは、去年の旅行について、今、どう思っていますか。＿＿＿をひきましょう。

 旅行中に、ほかの人に助けてもらったり、親切にしてもらったりしたことがありますか。
クラスで話しましょう。

1 いろいろな会社

1 ① - ⑤ は、どんな会社ですか。 CHECK! 171

機械、金融、建設、
食品、物流

① (　　b きかい　　) をつくっています。

② (　　　　　　　) 関係の会社です。

③ (　　　　　　　) 会社です。

④ (　　　　　　　) を輸出したり、輸入したりしています。

⑤ (　　　　　　　) 関係の会社です。

---

a しょくひん　　b きかい　　c きんゆう　　d けんせつ　　e ぶつりゅう

2 （ア）と（イ）のことばを使って、文を5つ作りましょう。

どんな職場がいいですか。

（　　**b 休み**　　）が（　　**n 多い**　　）⎫
（　　　　　　　）が（　　　　　　　）⎪
（　　　　　　　）が（　　　　　　　）⎬ 職場
（　　　　　　　）が（　　　　　　　）⎪
（　　　　　　　）が（　　　　　　　）⎭

（ア）

a 仕事	b 休み
c 人間関係	d じょうし
e 給料	f ざんぎょう
g 社員(しゃいん)	h ふんいき

（イ）

i いい	j 高い
k 少ない	l 明るい
m おもしろい	n 多い
o しんらいできる	p よく協力(きょうりょく)する

3 正しいことばを選びましょう。 173

❶ 会議が終わって、話し合ったことをじょうしに（　**c ほうこく**　）しました。

❷「かぜをひいたので、今日は休みます」と、会社に（　　　　　　　）しました。

❸ いつつぎの会議をするか、じょうしに（　　　　　　　）して決めます。

❹ うちの会社は今、ひしょを（　　　　　　　）しています。

❺ 私は会社で食品(しょくひん)の輸入(ゆにゅう)を（　　　　　　　）しています。

a そうだん　　b たんとう　　c ほうこく　　d ぼしゅう　　e れんらく

  174

体力　協力　担当　報告　連絡
たいりょく　きょうりょく　たんとう　ほうこく　れんらく

募集　輸出　輸入
ぼしゅう　ゆしゅつ　ゆにゅう

Can-do　41 会社の受付で、会いたい人に
　　　　　とりついでもらう

2 少々お待ちください
　　しょうしょう

1 カーラさんは、留学が終わったら、日本の会社で働きたいと思っています。
それで、友だちの会社に話を聞きに来ました。🔊 175-178

	①	②	③	④
(1)	a			
(2)	○			

カーラさん

（1）カーラさんは、だれに会いに来ましたか。

a	b	c	d	e
中村さん なかむら	パクさん	山田さん やまだ	木山さん きやま	ワンさん

（2）その人は今すぐ来られますか。（はい ○、いいえ ×）
　　　　　　　　　　こ

> ただいま
> ＝ 今

2 ていねいな言い方　Polite expressions

もう一度聞きましょう。どんな意味だと思いますか。

❶ もうしわけございません。
　／もうしわけありません。　　　（　c　）
❷ ただいまおよびします。　　　（　　）
❸ 少々お待ちください。　　　　（　　）
　　しょうしょう
❹ ただいままいります。　　　　（　　）
❺ 山田さん、いらっしゃいますか。（　　）
　　やまだ

> a 今、来ます。
> b 今、よびます。
> c すみません。
> d 少し待ってください。
> e 山田さん、いますか。
> 　　やまだ

3 会社の受付で会いたい人にとりついでもらいましょう。 Can-do 41 → p132

いらっしゃいませ。

すみません。 エドワード ともうします。
総務課 の 村田さん 、お願いしたいんですが。
／ 村田さん 、いらっしゃいますか。

村田 ですね。
おやくそくですか。

はい。

ただいまおよびします。

営業、企画、経理、広報、総務
海外事業、〜部、〜課
179

村田 は、ただいままいります。
少々 お待ちください。
・・・
もうしわけございません。
／もうしわけありません。
村田 は、ただいま 電話中 です。
　　　　　　　　 会議中
こちらでお待ちください。

9

ことばと文化

会社や店でお客さんにたいして、どうやってていねいさをあらわしますか。

　　a ことば
　　b こうどう
　　c 服そう
　　d そのほか＿＿＿＿＿＿＿＿＿＿＿＿＿＿

あそこ
受付

42 勤めている会社と自分の仕事について話す

3 働きやすいですよ

 カーラさんはパクさんの会社に来ています。  180

（1）会話を聞きましょう。どんなことを話していますか。

（2）（　）に入ることばや文を選んで、もう一度聞きましょう。

a はじめに	b お忙しいところ
c 職場のふんいきはどうですか	d 大きな会社なんですね

> 教えてもらえませんか。
> ＝ 教えてくださいませんか。

カーラ：パクさん、（❶　b　）、どうもすみません。

パク　：いいえ、だいじょうぶですよ。

カーラ：（❷　　　）、パクさんの会社のこと、教えてもらえませんか。

パク　：いいですよ。うちの会社は、いろいろな機械（きかい）をつくって輸出してます。世界中に支社があるんですよ。

カーラ：（❸　　　）。パクさんは、どのぐらいこの会社で働いてるんですか。

パク　：勤めてもう3年になります。

カーラ：3年。今のお仕事は？

パク　：ぼくは、おもにアジアの支社との連絡を担当してます。あと2、3年したら、海外の支社に行きたいと思ってるんです。

カーラ：へえ、いいですね。（❹　　　）。

パク　：とてもいいですよ。人間関係がよくて、上司（じょうし）が信頼（しんらい）できる人なんです。だから、働きやすいですよ。

2 「＿＿＿＿ たら、＿＿＿＿ と思って（い）るんです」

あと2、3年<u>したら</u>、海外の支社に<u>行きたい</u>と思って（い）るんです。

- 留学が（終（お）わります → 　　　　　　）、
  日本の会社で（働（はたら）きます → 　　　　　　　）。
- 大学を（卒業（そつぎょう）します → 　　　　　　）、
  つうやくに（なります → 　　　　　　　）。
- 5年ぐらい会社で（働（はたら）きます → 　　　　　　）、
  自分で会社を（作（つく）ります → 　　　　　　）。

3 あなたはどんなところで働いていますか。

(1) メモを書いて、話すじゅんびをしましょう。

・私は 機械をつくる会社 で働いています。
　うちの会社は、 つくった機械を海外にも輸出しています。
・私はこの会社に勤めて 3年 になります。
・おもにアジアの支社との連絡 を担当しています。
・私の職場は、 人間関係がとてもよくて、働きやすいです。

◀ どんな会社で働いて
いますか。

◀ どのぐらい勤めて
いますか。

◀ どんな仕事をして
いますか。

◀ 職場はどうですか。

・私は ＿＿＿＿＿＿＿＿＿＿ で働いています。
　うちの会社は、＿＿＿＿＿＿＿＿＿＿＿

＿＿＿＿＿＿＿＿＿＿＿＿＿＿＿＿。

・私はこの会社に勤めて ＿＿＿＿＿ になります。

・＿＿＿＿＿＿＿＿＿＿＿＿＿＿ を
担当しています。

・私の職場は、＿＿＿＿＿＿＿＿＿＿。

9

(2) ペアかグループの友だちに話しましょう。

　　文を2つ以上ならべて、少し長く話してみましょう。

 → p132

○○さん、今、どんな会社／
ところで働いてますか。

＿＿＿＿＿＿＿

4 しゅうしょくの相談

 1 カーラさんと友だちの木山_{きやま}さんのメールを
読みましょう。 182・183

✉ E-mail

▶ 📝 📩 📤 📄 🔄 🗑 📱

📑 Message

木山さん

お元気ですか。じつは就職_{しゅうしょく}のことでご相談したくて、メールを書いています。
私は、留学が終わったら、日本の会社で働きたいと思っています。
フランス語と英語と日本語が話せるので、通訳_{つうやく}や翻訳_{ほんやく}をすることができると思います。
ヨーロッパの情報_{じょうほう}を集めることもできます。
アルバイトで観光客の通訳_{つうやく}をしたこともあります。
木山さんの会社で外国人スタッフの募集があったら教えてください。
どうぞよろしくお願いします。

カーラ

✉ E-mail

▶ 📝 📩 📤 📄 🔄 🗑 📱

📑 Message

> もとめられています
> （もとめる）

カーラさん

メール、ありがとうございます。
うちの会社には外国人の社員もいます。でも、日本語や外国語ができるだけじゃだめですよ。
外国語が話せるよりほかの人と協力して働ける方がだいじです。上司_{じょうし}にきちんと報告ができる人、同僚_{どうりょう}と助け合うことができる人がもとめられています。
今は募集はありませんが、あったらお知らせします。
就職活動_{しゅうしょくかつどう}はたいへんだと思いますが、がんばってください。

木山

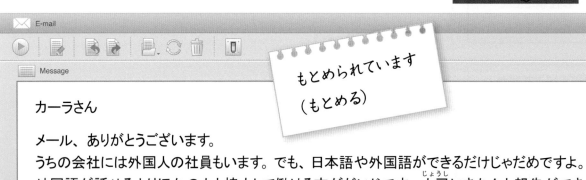

---

① - **④** は正しいですか。（正しい ○、正しくない ×）

❶ カーラさんは、もう留学が終わりました。　　　　　　　　　　　　（　　　　）

❷ カーラさんは、外国語に自信があります。　　　　　　　　　　　　（　　　　）

❸ カーラさんは、木山さんの会社で働きます。　　　　　　　　　　　（　　　　）

❹ 木山さんの会社で一番だいじなのは、外国語ができることではありません。　（　　　　）

2文 V-る ことが できます   Be able to do something（能力、技術）

ヨーロッパのじょうほうを集めることができます。（ ＝ 集められます）

ことばを選んで、正しい形を書きましょう。 184

> ラグビー部のキャプテンをしていました。

> どんなことができますか。

❶ いろいろな人と協力して仕事を（　**b する**　）ことができます。
❷ 難しい仕事でも、最後（さいご）まであきらめないで（　　　　　　）ことができます。
❸ 体力に自信があるので、何日も寝ないで（　　　　　　）ことができます。

> では、質問します。

9

❹ 仕事で外国からの E メールや電話がよくあります。
　ていねいな外国語で書いたり（　　　　　　）することができますか。
❺ コンピューターを使ってわかりやすいしりょう*を（　　　　　　）ことができますか。
❻ うちの会社は海外に支社がたくさんあります。
　どこに行っても、その国の生活や文化を（　　　　　　）ことができますか。

* しりょう ＝ a document

a がんばります	b します	c 楽（たの）しみます
d 作（つく）ります	e 働（はたら）きます	f 話（はな）します

● あなたはしゅうしょくのインタビューでどんなことを話しますか。

3 文　V1-る より V2-る ほうが イA ／ ナA です

Comparison（比較）

人の前で話すよりレポートを書く方がとくいです。
外国語が話せるよりほかの人と協力して働ける方がだいじです。

（1）会話を聞いて、4人にいい仕事を選びましょう。（a - e）

185-188

 a

うけつけ

ひしょ

IT エンジニア

フリーランスの
つうやく

* フリーランス
= freelance

パートタイムの
スタッフ

*パートタイム
= part-time

（2）ことばを選んで正しい形を書きましょう。4人はどんな働き方がいいですか。（f - k）

CHECK! 189

❶ 1人で働くよりいろいろな人に（　**f あう**　）方が好きです。

❷ 会社に入って（　　　　　）より自分で仕事が（　　　　　）方がいいです。

❸ つごうがいい時間だけ（　　　　）方がいいです。

❹ 物を（　　　　　）より（　　　　　）方がとくいです。

---

f 会います　　g 売ります　　h 選べます　　i 作ります　　j 働きます　　k 働きに行きます

● あなたはどんな仕事や働き方がいいですか。くらべて言いましょう。

　　私は、会社で働く より 家で仕事をする 方がいいです。

 44 しゅうしょく活動のかんそうを書いたメールから、
書いた人の気持ちや考えを読みとる

5 キムさんへのメール

1 友だちの会社を訪問した後で、カーラさんはキムさんにメールを書きました。
読んで答えましょう。できるだけはやく読んでみましょう。 190

働くこと をとおして

キムさん

こんにちは！
最近、どうしていますか。
私は、今、就活中（しゅうかつちゅう）です。日本の会社で働きたいと思って、友だちに会社のことや働き方について聞いたり、しらべたりしています。ある人に、1人でいい仕事をするより、協力して仕事ができる方がだいじだと言われて、ちょっとびっくりしました。そんなこと、今まで考えたことがなかったから…。でも、たしかに日本では、チームワーク*をだいじにしていると感（かん）じます。もし日本の会社に入ることができたら、働くことをとおして、人や文化についてもっとよくわかるようになると思います。
キムさんはどう思いますか。

カーラ

* チームワーク = teamwork

（1）カーラさんは今、どんな
気持ちですか。 ☐

a 日本の会社で働きたいです。　　b まだ働かないでもっと勉強したいです。
c 1人でもできる仕事を見つけたいです。

（2）カーラさんが一番言いたいことは何だと思いますか。＿＿＿をひきましょう。

2 あなたはどんな人たちと、どのように働いていますか。
（2）のカーラさんのいけんについて、どう思いますか。
クラスで話しましょう。

この時間（120分）ではつぎの4つのことをします。
4 と 5 は何語（なにご）で話してもいいです。

10分	60分		5分	25分	20分
1 Can-do チェック	**2** 会話（かいわ）テスト（1人ずつ）		休み	**4** テストの説明と ふりかえり	**5** クラスで 話します
	3 読解（どっかい）・文法（ぶんぽう）テスト				

1 Can-do チェック

p125-p132 を見なおしましょう。
もう一度やってみたい Can-do を選んで、ペアで練習しましょう。
あなたにとってたいせつな Can-do を選びましょう。

2 会話テスト（1人5分）

（1）質問を聞いて、先生に話をしてください。(Can-do 32/42)

例「あなたはどんなところで働いていますか。／どんな仕事をしていますか。まとめて話してください。」

（2）カードを読んで、先生と会話をしてください。

例

> あなたは日本の空港にいます。アナウンスが聞こえてきましたが、わかりません。そばにいる日本人に聞いてください。
>
> You are in an airport in Japan. You hear a passenger announcement, but you cannot understand it. Ask someone nearby what it was about.

会話テストでは勉強したことばをできるだけたくさん使いましょう。
質問がわからないときはもう一度聞きましょう。

< 会話テストの ひょうか >　Evaluating your performance

	（ 1 ）	（ 2 ）
もっとすごい Magnificent!	みじかなことについて、いろいろなじょうほうを<u>まとめて</u>話すことができる。 Can <u>organise</u> and talk about a variety of information on a familiar subject.	みじかなことについて、自分で会話を始め、つづけ、終わることができる。 Can start, maintain, and end a short conversation on a familiar subject.
ごうかく Well done!	みじかなことについて、<u>文をいくつかならべて</u>話すことができる。 Can relate a straightforward narrative or description <u>as a linear sequence of points</u> on a familiar subject.	みじかなことについて、自分で会話を始め、つづけ、終わることが<u>だいたい</u>できる。 Can <u>for the most part</u> start, maintain, and end a short conversation on a familiar subject.
もうすこし Getting there!	みじかなことについて、<u>たんじゅんな文</u>で言うことができる。 Can produce <u>a simple description</u> / link <u>simple sentences</u> on a familiar subject.	みじかなことについて、自分で会話を始め、<u>助けがあれば</u>、つづけ、終わることもできる。 Can start, maintain, and end a short conversation on a familiar subject <u>with help from others</u>.

3 　**読解・文法テスト（60 分）**

　　問題例は p161 にあります。

4 　読解・文法テストの答えをチェックしましょう。質問があったら、先生に聞きましょう。
　　まちがえた問題をもう一度見てみましょう。

5 　4人ぐらいの小さいグループになって、「日本語・日本文化のたいけんきろく」を見て、話しましょう。
　　グループで話し合ったことを先生やクラスの人にも話しましょう。

1 丁寧形と普通形 (Polite Form and Plain Form)

	ていねいけい (polite form)			
	ひかこ (non-past)		かこ (past)	
	こうてい (affirmative)	ひてい (negative)	こうてい (affirmative)	ひてい (negative)
動詞 (Verb)	うたいます	うたいません うたわないです	うたいました	うたいませんでした うたわなかったです
	たべます	たべません たべないです	たべました	たべませんでした たべなかったです
	します	しません しないです	しました	しませんでした しなかったです
イ形容詞 (イ Adjective)	あついです	あつくありません あつくないです	あつかったです	あつくありませんでした あつくなかったです
	いいです	よくありません よくないです	よかったです	よくありませんでした よくなかったです
ナ形容詞 (ナ Adjective)	すきです	すきじゃありません すきじゃないです	すきでした	すきじゃありませんでした すきじゃなかったです
	きれいです	きれいじゃありません きれいじゃないです	きれいでした	きれいじゃありませんでした きれいじゃなかったです
名詞 (Noun)	こどもです	こどもじゃありません こどもじゃないです	こどもでした	こどもじゃありませんでした こどもじゃなかったです

初中級		ひてい形 (T3)		ひてい形 (T3)

T● ：「初中級」のトピック Topic in this coursebook (Pre-intermediate)
L● ：「初級1、2」の「かつどう」と「りかい」の●か
　　　Lesson in *Katsudoo* and *Rikai*, Elementary 1 & 2
かL● ：「かつどう」だけ Only in *Katsudoo*
りL● ：「りかい」だけ Only in *Rikai*

ふつうけい (plain form)			
ひかこ (non-past)		かこ (past)	
こうてい (affirmative)	ひてい (negative)	こうてい (affirmative)	ひてい (negative)
うたう	うたわない	うたった	うたわなかった
たべる	たべない	たべた	たべなかった
する	しない	した	しなかった

				□＋N	～て／で	～なくて／じゃなくて	□＋V	～ば／なら
あつい	あつくない	あつかった	あつくなかった	あつい	あつくて	あつくなくて	あつく	あつければ
いい (よい)	よくない	よかった	よくなかった	いい	よくて	よくなくて	よく	よければ
すきだ	すきじゃない	すきだった	すきじゃなかった	すきな	すきで	すきじゃなくて	すきに	すきなら
きれいだ	きれいじゃない	きれいだった	きれいじゃなかった	きれいな	きれいで	きれいじゃなくて	きれいに	きれいなら
こどもだ	こどもじゃない	こどもだった	こどもじゃなかった	こどもの	こどもで	こどもじゃなくて	—	こどもなら

S (plain form) っていって (い) ましたよ (T1)
じつは、S (plain form) んです (T1)
S (plain form) でしょうね (T6)
S (plain form) かもしれません (T7)
S1 (plain form) のに、S2 (T7)

N なら (T1)
□ -い／な＋さ　名詞化 (T1)
イА-くても・ナА／N でも (T2)
イА-くなくても・ナА／N じゃなくても (T2)
イА ば・ナА／N なら (T2)

初級2
S (plain form) N (L1)
S (plain form) のは N です (L3)
S1 (plain form) ので、S2 (L3)
S (plain form) し、＿＿＿＿＿(か L5, L6)
S（いつ／どこ／…(plain form)）か、しっていますか／わかりますか (L8)
S1 ように S2 (L10)
S ように ねがいます／いのります (L10)
S (plain form) そうです (L14, L17)
S (plain form) かもしれません (り L17)

イА-く (り L2)
ナА-に (り L2)

初級1
S (plain form) ひと (L16)
S (plain form) もの (L17)
S (plain form) んです (L17)
S (plain form) N (L17)
S (plain form) と おもいます (L18)
S (plain form) と いっていました (L18)

2 動詞の活用 (Conjugation of Verbs)

グループ		V- ない ないけい (NAI-form)	V-（ら）れる うけみけい (Passive form)	V ます ますけい (MASU-form)	V-る るけい／じしょけい (RU-form /dictionary form)	V-（られ）る かのうけい (Potential form)	
1	うたう	うたわない	うたわれる	うたいます	うたう	うたえる	
	まつ	またない	またれる	まちます	まつ	まてる	
	とる	とらない	とられる	とります	とる	とれる	
	あそぶ	あそばない	あそばれる	あそびます	あそぶ	あそべる	
	よむ	よまない	よまれる	よみます	よむ	よめる	
	しぬ	しなない	しなれる	しにます	しぬ	しねる	
	かく	かかない	かかれる	かきます	かく	かける	
	およぐ	およがない	およがれる	およぎます	およぐ	およげる	
	はなす	はなさない	はなされる	はなします	はなす	はなせる	
	いく	いかない	いかれる	いきます	いく	いける	
	ある	ない	—	あります	ある	—	
2	みる	みない	みられる	みます	みる	みられる	
	たべる	たべない	たべられる	たべます	たべる	たべられる	
3	する	しない	される	します	する	できる	
	くる	こない	こられる	きます	くる	こられる	

	V- ない (NAI)	V-（ら）れる (Passive)	V ます (MASU)	V-る (RU)	V-（られ）る (Potential)
初中級	V- なければ なりません／ V- なきゃ いけません (T1) V- なくても いいです／だいじょうぶです (T6) （N（ひと）に）V- ないでほしいです (T7)		V- ます 名詞化 (T1) V- そうです／V- そうな N (T5) V1- ながら V2 (T8) V1- たら、V2- たいと おもって（い）るんです (T9)	V- るな (T1) V- ることが できます (T9) V1- るより V2- るほうが イA／ナA です (T9)	V-（られ）そうです／ V-（られ）そうな N (T5) V1-（られ）るより V2-（られ）るほうが イA／ナA です (T9)
初級 2	V1- ないで V2 (L4, 11) V- ない ほうが いいです（よ）(L5) V- なく なりました (L11, 16, り L18) V- ないように しています (L15)	N は V-（ら）れます (L13) A は B に V-（ら）れます (L18) A は B に N を V-（ら）れます（り L18）	V- やすいです (L12) V- にくいです (L12)	V- ると、＿＿＿ (L4) V- る とき、＿＿＿ (L5) V1- るまで、V2（り L11, 17） V- る ために (L14) V- るように しています (L15) V- るのに いいです／つかいます／… (L15) V- るように なりました (L18)	N が V-（られ）ます (L6, り L7) N が V-（られ）る 人 (L7) V-（られ）て、よかったです（か L9） V-（られ）て、＿＿＿（り L9） V-（られ）なくて、＿＿＿（り L9） V-（られ）なく なりました (L16, り L18) V-（られ）るように なりました (L18)
初級 1	V- ないでください (L15)		V- に いきます (L8) V- ませんか (L8) V- ましょう (L8) V- たいんですが…（か L8） V- かた (L9) V- たいです (L10) V- たくないです（り L10） V- ましょうか (L11) V- すぎます（り L13）	V- ること (L2) V- るのが A です (L9) V- るまえに (L15) V- ると いいです (L15)	

T● ：「初中級」のトピック Topic in this coursebook (Pre-intermediate)
L● ：「初級1、2」の「かつどう」と「りかい」の●か
　　　Lesson in *Katsudoo* and *Rikai*, Elementary 1 & 2
かL● ：「かつどう」だけ Only in *Katsudoo*
りL● ：「りかい」だけ Only in *Rikai*

V-ば じょうけんけい (Conditional form)	V-ろ めいれいけい (Imperative form)	V-(よ)う いこうけい (Volitional form)	V-て てけい (TE-form)	V-た たけい (TA-form)	
うたえば	うたえ	うたおう	うたって	うたった	あう、さそう、てつだう
まてば	まて	まとう	まって	まった	かつ、たつ、もつ
とれば	とれ	とろう	とって	とった	あやまる、ことわる、つくる
あそべば	あそべ	あそぼう	あそんで	あそんだ	えらぶ、よぶ
よめば	よめ	よもう	よんで	よんだ	すむ、たのしむ、のむ
しねば	しね	しのう	しんで	しんだ	―
かけば	かけ	かこう	かいて	かいた	おどろく、きく、はたらく
およげば	およげ	およごう	およいで	およいだ	いそぐ、ぬぐ
はなせば	はなせ	はなそう	はなして	はなした	おもいだす、かす、さがす
いけば	いけ	いこう	いって	いった	―
あれば	―	―	あって	あった	―
みれば	みろ	みよう	みて	みた	あきる、いる、かりる、できる
たべれば	たべろ	たべよう	たべて	たべた	たすける、つとめる、ねる
すれば	しろ	しよう	して	した	おうえんする
くれば	こい	こよう	きて	きた	もってくる

V-ば、＿＿＿＿(T2)	V-ろ (T1)	V-(よ)うと おもって います (T5) V-(よ)うと おもうんですが (T6)	N (ひと) は／が V-て くれます (T4) N (ひと) に V-て もらいます (T4) V-て あげます (T6) (N (ひと) に) V-て ほしいです (T7) V-て (T8)	V1-たら、V2-たいと おもって (い) るんです (T9)	
			V-ている N (L2) V1-てから、V2 (L4, 17) V-ちゃ／じゃ だめです (か L4) V-ては／ちゃ／じゃ いけません／だめです (り L4) V1-て V2 (L4) V-ていました (L9) V-て しまいました (L11) (いつ、何、どこ、だれ) V-ても、(L13) V-てあります (り L14) V-ても いいですか (か L14)	V-た とき、＿＿＿＿(L5) V-た ほうが いいです(よ) (L5) V-たら、＿＿＿＿(L7, 16) V-たり して、＿＿＿＿ (L10) V-たままです (L15)	
			V-ています (L1) V-て ください (L6) V1-て、V2 (L6) V-て (reason) (L7) V-て くださいませんか (L9) V-てみます (り L10) V-てきます／いきます(L11) V-て ( )年／か月に なります (り L14) V-ても いいですか (L14)	V-た ことが あります (L13) V1-たり、V2-たり しています (L16)	

3 助詞（Particles）

	れいぶん（example sentences）
か	きのうの試合はどうでしたか。
が	有名な選手が試合に出ます。
	サッカーのおもしろさがわかりました。
	新しい家はだいどころがきれいです。
	広い家が安く買えました。
	行きたいんですが、だめなんです。
	日本語が上手になりたいんですが、何かいい勉強方法、ありませんか。
から	2004年から2010年まで約6年間、アメリカに住んでいました。
	長友選手は、ファンからプレゼントをもらいました。
	中国から知り合いが日本に来ます。
	勉強が忙しいから、友だちのさそいをことわりました。
ぐらい	毎日30分ぐらい日本語でチャットをします。
けど	会社まで少し遠いけど、いい家があったから、そこに決めました。
しか	シャワーしか使わないので、おふろがなくてもいいです。
ずつ	このサイトで1日に5つずつ、たんごをおぼえます。
だけ	日本語のコースは、初級、中級、上級の3つだけです。
（っ）て	今のアナウンス、何て言ってましたか。
	インドネシア語で「ありがとう」って何ですか。
で	よくサッカー場で試合を見ます。
	木山さんは毎日車で通勤しています。
	私はいつもアニメやマンガで、日本語を勉強しています。
	へやは本やDVDでいっぱいです。
	姉が病気で入院しています。
	結婚式のあと、2人で旅行します。
でも	車があるから、住むところは交通が不便なところでもいいです。
と	うちの近くに小学校ときれいな公園があります。
	週末は家族とのんびりします。
	のりかさんはジョージさんと結婚します。
	私は夫の親と考え方がちがいます。
	マンガを何回も読むと、自然にことばをおぼえます。
	あしたはおもしろい試合になると思います。
とか	うどんとか、おすしとか、よく食べます。
な	友だちが日本に帰って、さびしいなと思っています。
	負けるな！
など	このビルの中には、レストランや本屋など、店がたくさんあります。
に	山本さんは、アメリカに行ったこと、ありますか。
	市内のアパートに住んでいます。
	土曜日に父の知り合いをむかえに行きます。
	スリッパをぬいで、へやに入ります。
	長友選手は、ファンにメッセージを書きました。

	れいぶん（example sentences）
に	この本は、日本のしょうせつを英語にほんやくしたものです。
	アニスさんにつうやくをしてもらいました。
	友だちにさそわれて、サッカーの試合を見に行きました。
	私は日本関係のイベントによく行きます。
	JF サッカー場での試合は、年に15回ぐらいです。
ね	天気がよくて、よかったですね。
	結婚式に招待しますから、ぜひ出席してくださいね。
	【受付で】「パクさん、お願いしたいんですが。」「パクですね。」
の	シャワーのおゆが出ない。
	ここは駅に近くて、イベントに行くのに便利です。
	この会社で一番だいじなのは、外国語ができることではありません。
ので	ベアーズが負けたので、ベアーズのファンはくやしそうでした。
のに	メールであやまったのに、サビタさんはまだおこっています。
は	私はイーグルズのファンです。
	教科書のことばはぜんぜんおぼえられません。
へ	こちらへどうぞ。
	ファンへのメッセージはサイトで読めます。
ほど	あと 20 分ほどで手続きが始まります。
まで	駅から家まで歩いて 20 分ぐらいです。
	難しい仕事でも最後まであきらめません。
までに	あさってまでにレポートを出さなければなりません。
も	山田さんが行くなら、私も行きます。
	この学校には外国人の先生が何人もいます。
や	近くにデパートやスーパーがあるし、交通も便利です。
よ	一度試合を見たら、イーグルズのファンになりますよ。
よね	のりかさんの相手の人はやさしい人なんですよね。
より	アニスさんは私より日本文化にくわしいです。
を	もう一度フランス語を始めようと思っています。
	家族でアメリカを旅行しました。
	大学を卒業したら、日本に留学しようと思っています。
（の）ため	JF 115 便は、エンジンのこしょうのため、キャンセルになりました。
（の）ために	健康のために、できるだけ野菜を食べるようにしています。
として	日本祭でボランティアとして働いていました。
なら	やっぱり、アニメなら日本、ですから。
にたいして	あの受付の人は、お客さんにたいしてとてもていねいです。
について	ジョージさんは、日本についてレポートを書きました。
にとって	ご飯とみそしるは、私にとって一番ほっとする食べ物です。
をとおして	働くことをとおして、人や文化についてもっとよくわかるようになると思います。

4 疑問詞 (Interrogatives)

ぎもんし 上ルビ: ぎもんし

	ぎもんし (interrogatives)	れいぶん (example sentences)
人 (ひと person)	だれ	のりかさん、だれと結婚するんですか。
物 (もの thing)	なん	その料理は何ですか。
	なに	日本の食べ物、何が好きですか。
	どんな＋（名詞 noun）	どんなところをさがして（い）るんですか。
場所 (ばしょ place)	どこ	買い物はどこでするんですか。
時 (とき time)	なんじ	JF115 便は何時に出発しますか。
	いつ	いつごろ、ニューヨークに住んで（い）ましたか。
方法 (ほうほう means)	どうやって	相手の人とどうやって知り合ったんですか。
	どのように	このきかいはどのように（して）使いますか。
数・量 （かず number・ りょう quantity）	いくつ	日本語のたんごを毎日いくつおぼえますか。
	いくら	この家のやちんはいくらですか。
	なん〜	しつれいですが、お子さんは何人（なんにん）ですか。
	どのぐらい	パクさんは、どのぐらいこの会社で働いて（い）るんですか。
理由 (りゆう reason)	どうして	行きたくないのに、どうして行くんですか。
	なぜ	クマールさんは、なぜ日本料理を食べますか。
選択 (せんたく choice)	どの	どのじしょが使いやすいですか。
	どちら	としんとこうがい、どちらが住みやすいですか。
	どっち	A チームと B チーム、どっちが勝ちましたか。
感想、意見、様子など （かんそう、いけん、ようす 　など comment, state）	どう	きのうの試合はどうでしたか。
		飛行機の中で、いつもどうすごしますか。
	いかが	日本の食べ物は、いかがですか。

5 話しことば (Spoken Language)

話すとき	書くとき	れいぶん (example sentences)
V てます	V ています	友だちがキングズベイに住んでます。
V てる	V ている	どんなところをさがしてるんですか。
V ちゃ（V じゃ）だめです	V てはいけません	友だちと会っているのに、べつの人と長電話しちゃだめです。
V てった	V ていった	訪問するときは、おみやげを持ってった方がいいですよ。
V なきゃいけません	V なければなりません （いけません）	知り合いをむかえに行かなきゃいけません。
見れます	見られます	飛行機のまどからふじさんが見れました。
食べれます	食べられます	会社の近くの店でおすしが食べれます。
N って	（N というのは）	インドネシア語で「ありがとう」って何ですか。
…って言ってました	…と言っていました	ヤンさんも行くって言ってました。
V ちゃったんです	V てしまったんです	先週、友だちとけんかしちゃったんです。
V てく	V ていく	旅行には、らくな服を着てくようにしてます。

やりとりの Can-do と 話す Can-do

◆ トピック1　スポーツの試合　

◆ 友だちを外出にさそう／さそいをうける (Can-do 1)

◆ りゆうを言ってさそいをことわる (Can-do 2)

A：来週の土曜日、サッカーの試合、見に行くんですが、いっしょに行きませんか。

B：行きたいんですが、だめなんです。土曜日はアルバイトがあるから。

A：そうですか、ざんねん。Cさんは？

C：私は、だいじょうぶです。ぜひいっしょにお願いします。

D：私は、えんりょします。サッカーは、よくわからないから。

A：そうですか。テレビで、おもしろい試合になるって、言ってましたよ。

D：そうですか。それなら、行ってみます。

◆ りゆうを言ってやくそくをキャンセルする (Can-do 3)

A：あのう、じつは、明日の試合、行けなくなったんです。

B：えっ、ざんねん。どうしたんですか。

A：すみません。じつは、中国から知りあいが日本に来るんです。

B：そうなんですか。気にしないで。

　　試合は来月もあるから、よかったら、つぎ行きましょう。

A：はい。

◆ スポーツの試合で好きなチームをおうえんする (Can-do 4)

男の人：がんばれ！／もっと走れ！／行け！／勝て！／負けるな！／あきらめるな！／しっかりしろ！

女の人：がんばって！／もっと走って！／負けないで！／あきらめないで！／しっかり！

◆ 自分が見たスポーツの試合について話す (Can-do 5)

A：きのうの試合はどうでしたか。

B：2対1で、イーグルズが勝ちました／負けました。／1対1で、ひきわけました。
　　勝って、うれしいです。／負けて、くやしいです。

C：試合がもりあがりました。／いい試合で、かんどうしました。

◆ トピック2　家をさがす

195・196

◆ 住むところをさがすのにだいじなポイントは何か話す（Can-do 8）

A：家はもう見つかりましたか。

B：いいえ、まだなんです。／いいえ、まださがしてるんです。

A：どんなところがいいんですか。

B：駅から近いところ がいいんですが。／

安全なところ がいいです。小さい子どもがいます から。

A：いいところが見つかるといいですね。

◆ 自分が住んでいるところについて話す（Can-do 9）会話の例

A：今、どこに住んでますか。

B：私はキングズベイというところに住んでます。

A：へえ。どんなところですか。

B：家はいっこだてで、庭があります。

近くにスーパーもあるし、かんきょうもいいですよ。

A：ふうん、いいところですね。

B：ええ。会社まで少し遠いけど、広くていい家だから、決めました。

私も家族も、今の家がとても気に入ってます。

A：そうですか。

◆ トピック3　ほっとする食べ物

197・198

◆ 外国の食べ物についてどう思うか話す（Can-do 12）

A：日本の食べ物 はいかがですか。／どうですか。

B：ええ、よく食べてますよ。

A：そうですか。何が好きですか。

B：そうですね、うどん とか、おすし とか、よく食べます。

A：うどんは味がうすくないですか。

B：だいじょうぶです。／問題ないです。／はじめは そう思いました が、今は おいしいです。

A：それはよかったです。

◆ **自分の食生活について話す（Can-do 13）会話の例**

A：毎日の食事、どうしてますか。

B：昼食は、ほとんど毎日、外食です。

A：外食？

B：会社の近くのレストランによく行きます。タイ料理が多いです。

A：ふーん。

B：でも、夕食は、うちで作って食べますよ。

　　やっぱり1日に1回は、白いご飯とみそしるが食べたくなりますから。

A：そうですか。買い物は？

B：和食の材料は、町のデパートに買いに行きます。野菜は近所の店で買ってます。

　　健康のために、できるだけ野菜を食べるようにしてるんですよ。

A：へえ、そうですか。

◆ トピック4　訪問

◆ **客を家の中にあんないする（Can-do 16）**

客　　　：ごめんください。

家の人：よくいらっしゃいました。どうぞおあがりください。

客　　　：おじゃまします。

家の人：どうぞスリッパをはいてください。

- -

家の人：こちらへどうぞ。

客　　　：しつれいします。

家の人：どうぞお座りください／座ってください。

　　　　　足はらくにしてくださいね。

客　　　：ありがとうございます。

◆ **家族を客に紹介する（Can-do 17）**

A：カールさん、紹介します。うちの母です。今、英語をならってるんですよ。

B：はじめまして。カールです。

C：はじめまして。いつもむすめがおせわになって（い）ます。

B：こちらこそ、いつも山本さんにおせわになって（い）ます。

◆ **外国などで生活した経験や思い出について話す（Can-do 18）会話の例**

A：ほかの町や国に住んだこと、ありますか。

B：ええ。私は 2004 年から約 6 年間、アメリカのニューヨークに住んでました。

A：へえー、どうでしたか。

B：アメリカではいろいろな経験をしましたよ。

　　家族でよく旅行もしました。特にグランドキャニオンはすばらしかったですよ。

A：わあ、いいですね。

B：ことばがわからなくてこまりましたが、親切な人が多くてたすかりました。

A：いろいろな思い出があるでしょうね。

B：はい。わすれられない思い出がたくさんあって、なつかしいです。

◆ トピック5　ことばを学ぶ楽しみ

◆ **外国語を勉強する方法について話す（Can-do 21）**

A：エスターさん 、 日本語 、上手ですね。／上手になりましたね。

B：いいえ。そんなこと、ないです。まだまだです。

A：私も上手になりたいんですが、何かいい勉強方法、ありませんか。

B：私は 日本のアニメをよく見ます。

A：そうですか。私もやってみます。

◆ **外国語をクラスで学ぶ楽しみについて話す（Can-do 22）会話の例**

A：日本語のクラス、どうですか。

B：そうですね。ほかの人の話を聞いたり、自分のことを話したりできるので、クラスで学ぶことは楽しいです。

A：へえ。

C：クラスにどんな人がいますか。

B：いろいろな人がいますよ。話し好きな人もいるし、はずかしがりやの人もいます。

A：ふーん。

B：私は仕事で日本語を使いますが、楽しみのために学んでいる人もいます。

C：そうですか。

◆ **友だちの最近のニュースについて別の友だちと話す（Can-do 25）**

A：聞きましたか。 のりかさん、結婚するそうです よ。

B：そうですか。 だれと？

A： 日本祭で知り合った人だ そうです。

B：じゃあ、 今、きっと幸せでしょう ね。

A：それで、 何かお祝いをしよう と思うんですが。

B：いいですね。そうしましょう。

◆ **友だちについて聞いた話をほんにんにたしかめる（Can-do 26）**

A： のりかさん 、聞きましたよ。 結婚する そうですね。

B：ええ、そうなんです。

A： おめでとうございます。よかったですね。相手の人はどんな人ですか。

B： ブラジルの人で、銀行に勤めてます。

A：そうですか。

◆ **友だちのために、メモを見て結婚式のスピーチをする（Can-do 27）**

のりかさん、ジョージさん 、ご結婚おめでとうございます。

私は、 のりかさんと同じ会社に勤めているパウロ ともうします。

のりかさんは、とてもやさしい人です。

私が仕事でこまっているとき、いつもたすけてくれます。

のりかさんの話では、ジョージさんもとてもやさしい人だそうです。

ふたりの家庭は、きっと 明るくて、あたたかい家庭になる と思います。

すえながいお幸せをおいのりしています。

のりかさん、ジョージさん 、ご結婚おめでとうございます。

私は、 のりかさんの友人のロザナ ともうします。

のりかさんは、いつも元気でとてもすてきな人です。

のりかさんといっしょにいると、ほんとに楽しいです。

ジョージさん、よかったですね。

ふたりの家庭は、きっと、 あたたかい家庭になる と思います。

すえながいお幸せをおいのりしています。

◆ **ほかの人の心配なようすについて話す（Can-do 30）**

A：大山さん、どうしたんでしょうね。

B：ええ。なんだか元気がないですね。

A：ちょっと心配ですね。

◆ **元気がない人にこえをかける（Can-do 31）**

A：カーラさん、どうしたんですか。いつもより元気がないですね。

B：だいじょうぶです。ちょっとつかれてて。

A：ほんとにだいじょうぶですか。

B：ええ、だいじょうぶです。

A：ほんとに？

B：ほんとにだいじょうぶです。

A：そうですか。

- -

A：私でよかったら、相談にのりますよ。

B：すみません。じつは、仕事のことでちょっと…。

A：じゃあ、座って話しましょう。

◆ **ほかの人のなやみについてしらべて、けっかとかんそうを話す（Can-do 32）会話の例**

A：私は 10 人の人に、どんななやみがあるか聞きました。

B：どうでしたか。

A：一番多かったのは、「職場の人間関係」です。

B：ふーん。

C：二番目は？

A：二番目に多かったのは、「心の健康」です。

C：やっぱり。

A：「人間関係」や「心の健康」が多いのは、よくわかります。私の職場も同じかもしれません。

B：たいへんですね。

A：でも「結婚」が少ないのは、いがいでした。私はみんなもっと心配していると思っていました。

B：そうですか。

◆ **空港でアナウンスがわからないときに、ほかの人に聞く／答える (Can-do 35)**

A：すみません。あのう、同じフライト／飛行機ですか。

B：はい。

A：今のアナウンス、何て言ってましたか。

B：もうすぐ乗れる そうです。 ／ あと 20 分ほどで、手続きが始まる そうです。

A：そうですか。ありがとうございました。

◆ **自分がどこで何をしていたか、思い出して言う (Can-do 36)**

◆ **どこかに忘れ物をした友だちを助ける (Can-do 37)**

A：あ、しまった！

B：どうしたんですか。

A：どうしよう！　かばん が1つない。どこかに忘れたかな。

B：どこに？　よく思い出してください。

A：ええと、チェックインしたときは、あった。チェックインした後で、カフェでお茶を飲んだ。お金をはらうときも、あった。それからトイレに入った。あ、手を洗うとき、そばにおいて、そのあと？　わかった、たぶんトイレです。

B：とりに行きましょう。

A：あるかなあ。

B：あるかもしれませんよ。とにかく行ってみましょう。

- -

B：どうでしたか。

A：あった、あった。ありました。よかった！

B：よかったですね。さあ、行きましょう。

◆ **だれかに助けをもとめる (Can-do 38)**

すみません、だれか！／どろぼう！／火事です、にげてください！／助けて！／すみません、おります！

男の人：火事だ、にげろ！／助けてくれ！

◆ **会社の受付で、会いたい人にとりついでもらう（Can-do 41）**

受付の人：いらっしゃいませ。

A　　　　：すみません。 エドワード ともうします。 総務課 の 村田さん 、お願いしたいんですが。 ／
　　　　　 村田さん 、いらっしゃいますか。

受付の人： 村田 ですね。おやくそくですか。

A　　　　：はい。

受付の人：ただいまおよびします。

- -

受付の人： 村田 はただいまままいります。 少 々 お待ちください。 ／
　　　　　 もうしわけございません。 村田 は、ただいま 電話中／会議中 です。こちらでお待ちください。

◆ **勤めている会社と自分の仕事について話す（Can-do 42）会話の例**

A：今、どんなところで働いてますか。

B：私は機械をつくる会社で働いてます。

A：機械ですか？

B：はい。うちの会社は機械をつくって、つくった機械は海外にも輸出してます。

A：へえ。もうどのぐらい勤めてますか。

B：もう３年になります。今はおもにアジアの支社との連絡を担当してます。

A：たいへんですね。

B：いえいえ、私の職場は、人間関係がとてもよくて、働きやすいですよ。楽しくやってます。

A：そうですか。

答えとスクリプト Answers and Audio Scripts

◆ トピック1　スポーツの試合　　　　　p24

1

1

答え
❶c　❷b　❸e　❹a　❺f

2

答え
❶f　❷a　❸b　❹e　❺c　❻d

🔊 002

友だちにさそわれて、サッカーのしあいを見に行きました。
その日は、イーグルズたいベアーズのしあいでした。
私はイーグルズのファンだから、イーグルズをおうえんしました。
有名な選手がしあいに出たので、しあいがもりあがりました。
ベアーズがまけたので、ベアーズのファンはくやしそうでした。
来週のしあいにもさそわれましたが、仕事があるのでことわりました。

3

答え
❶d　❷b　❸e　❹a　❺c　❻f

漢字のことば

🔊 003

25ページと同じ

2

1

答え

		❶		❷		❸		❹	
	カーラ	ヤン	吉田	ワン	ジョイ	シン	キム	野田
(1)	×	○	×	○	○	○	×	×
(2)	e		a				c	d

🔊 004-007

❶
中村　：カーラさん、ヤンさん、来週の土よう日、サッカーの
　　　　しあい、見に行くんですが、いっしょに行きませんか。
カーラ：行きたいんですが、だめなんです。土よう日はバイト
　　　　があるから。日よう日なら、だいじょうぶなんですが。
中村　：アルバイトですか、それはざんねん。ヤンさんは？
ヤン　：私はだいじょうぶです。ぜひいっしょにお願いします。
　　　　じつは、学生のとき、ずっとサッカーやってたんですよ。
中村　：へえ。そうでしたか。

❷
中村：吉田（よしだ）さん、ワンさん、こんどの土よう日、サッ
　　　カーのしあい、見に行くんですが、いっしょに行きませ
　　　んか。テレビでおもしろいしあいになるって、言ってまし
　　　たよ。
吉田：土よう日かあ。行きたいんですが、だめなんです。土よ
　　　う日から北海道（ほっかいどう）に出張なんですよ。
中村：土よう日に出張ですか。たいへんですね。ワンさんは？
ワン：私はだいじょうぶです。じつは、前からいちどサッカー
　　　じょうに行ってみたかったんです。
中村：そうですか。それはよかった。

❸
中村　：ジョイさん、シンさん、来週の日よう日、サッカーの
　　　　しあい、見に行くんですが、いっしょに行きませんか。
ジョイ：来週の日よう日なら、行けます。しゅじんが仕事でお
　　　　そくなるから、ゆっくりできます。ほほほ。
シン　：ぼくは、えんりょします。サッカーは、よくわからない
　　　　から。
中村　：そうですか。いちどしあいを見たら、ファンになりま
　　　　すよ。
シン　：そうですか。
ジョイ：いっしょに、行きましょうよ。
中村　：山田（やまだ）さんも行くって、言ってましたよ。
シン　：えっ、山田さんも行くなら、行きます。
中村　：よし、決まった！みんなで行きましょう。

❹
中村：キムさん、野田（のだ）さん、こんどの日よう日、サッカー
　　　のしあい、見に行くんですが、いっしょに行きませんか。
キム：日よう日ですか。できれば行きたいんですが、ほかにや
　　　くそくがあって。またつぎ、さそってください。
中村：そうですか、ざんねん。野田さんは？
野田：私もえんりょします。サッカーは、よくわからないし、あ
　　　まりきょうみがないから。
中村：そうですか。いちど見たら、かならず好きになりますよ。
　　　テレビで長友（ながとも）選手が出るって、言ってましたよ。

野田：長友選手が出るなら、おもしろいしあいになると思いますが…。でも、やっぱり、えんりょします。

中村：はい、わかりました。

2

答え
(1)（らいしゅうのにちようびなら）（でるなら）
(2)（いく）（かった）（あつくない）

3

🔊 008
27 ページと同じ

3

1
(2)

答え
❶ b ❷ c ❸ e ❹ d ❺ a

🔊 009
ワン：もしもし、中村（なかむら）さん？ ワンです。
中村：あ、ワンさん、おはようございます。
ワン：おはようございます。
　　　あのう、じつは、あしたのしあい、行けなくなったんです。
中村：えっ、ざんねんだなあ。どうしたんですか。
ワン：すみません。じつは、中国から知りあいが日本に来るんです。
中村：そうなんですか。だいじょうぶですよ。気にしないで。
ワン：はい。ありがとうございます。
中村：しあいは来月もあるから、よかったら、つぎ行きましょう。
ワン：はい。お願いします。
中村：それじゃあ。
ワン：はい。しつれいします。

2

答え
（くるんです）（いってみたかったんです）（やって(い)たんです）

4

🔊 010
29 ページと同じ

5

1

答え
(1) ワンさんが中村（なかむら）さんにあやまりました。
(2) ❶ ○　❷ ×　❸ ○　❹ ○　❺ ×
(3) b

🔊 011・012
30 ページと同じ

2
(1)

答え
❶ c　❷ d　❸ a　❹ b

🔊 013-016
❶
A 　　：もしもし。
カーラ：あ、もしもし、カーラです。あのう、じつは、あしたのやきゅうのしあい、行けなくなったんです。
A 　　：え、どうしたんですか。
カーラ：あさってまでに、レポートを出さなきゃいけないんです。すみません。
A 　　：だいじょうぶですよ。気にしないで。レポート、がんばってください。
カーラ：はい。

❷
A 　：もしもし。
ホセ：あ、もしもし、ホセです。
A 　：ああ、ホセさん、こんにちは。
ホセ：あのう、じつは、あしたのラグビーの試合、行けなくなったんです。
A 　：え、行けなくなった？ どうしたんですか。
ホセ：たいしかんにしょるい、とりに行かなきゃいけないんです。すみません。
A 　：たいしかんですか。それはたいへんですね。気にしないで、行ってきてください。
ホセ：はい。

❸
A 　：はい、もしもし。
あべ：あ、すみません、あべです。あのう、あさってのやきゅうのしあいですが、じつは、行けなくなっちゃったんです。
A 　：え、そうなんですか。
あべ：ええ。あさって、いなかからにもつがとどくので、うちにいなきゃいけないんです。

A ：そうですか。だいじょうぶですよ。うちにいてください。
あべ：ごめんなさい。

④
A ：はい、もしもし。
パク：あ、パクです。
A ：あ、こんにちは。どうしたんですか。
パク：あのう、すみません。あさってのアイスホッケーのしあい、ちょっと行けなくなったんです。
A ：え、そうなんですか。
パク：はい。じつは、あさってから広島（ひろしま）に出張しなきゃいけないんです。ざんねんだけど。
A ：だいじょうぶですよ。出張、気をつけて。
パク：はい。じゃあ、おみやげ、待っててください。

(2)

答え
❶ （ださなければなりません）
❷ （とりにいかなければなりません）
❸ （いなければなりません）
❹ （しゅっちょうしなければなりません）

🔊 017
❶ カーラさんはあさってまでに、レポートを出さなければなりません。
❷ ホセさんはあした、たいしかんにしょるいをとりに行かなければなりません。
❸ あさって、あべさんはうちにいなければなりません。
❹ あさって、パクさんは出張しなければなりません。

3

答え
❶ a つかれ　　❷ d つよさ　　❸ b ゆたかさ
❹ e ひきわけ　　❺ c よさ

🔊 018
❶ 若い選手は、しあいのさいごまでつかれを見せませんでした。
❷ イーグルズのつよさのひみつは、チームワークです。
❸ すばらしいサッカーじょうを見ると、文化的なゆたかさをかんじます。
❹ 今日のしあいは、1たい1でひきわけでした。
❺ イーグルズのファンは、おうえんのマナーのよさで、有名です。

4

答え
❶ d　　❷ c / a　　❸ b　　❹ a

🔊 019
❶ 私はよくJFサッカーじょうで、しあいを見ます。JFサッカーじょうでのしあいは、年に15回ぐらいです。
❷ 駅からJFサッカーじょうまで歩いて20分ぐらいです。JFサッカーじょうまでの行き方をサイトでしらべました。
❸ 長友（ながとも）選手は、ファンからプレゼントをもらいました。ファンからのプレゼントは、Tシャツでした。
❹ 長友選手は、ファンにメッセージを書きました。ファンへのメッセージは、サイトで読めます。

6

答え
(1) シンさん、ジョイさん、中村（なかむら）さん、山田（やまだ）さん、ヤンさん
(2) キムさん
(3) ❶ b　　❷ d　　❸ c

🔊 020
33ページと同じ

◆ トピック2　家をさがす　　p34

1

2

答え
❶ a　　❷ b　　❸ f　　❹ e　　❺ d

🔊 021
木山（きやま）さんの家の近くには、こうえんや学校があって、かんきょうがいいです。家はこうがいにあるので、としんまで時間がかかります。このあたりは電車やバスなどが少なくて、こうつうが不便です。木山さんは、毎日車でつうきんしています。これから新しい家をさがします。どんなところがいいか、じょうけんを考えます。

3

答え
❶ e　　❷ f　　❸ a　　❹ b　　❺ d

漢字のことば

🔊 022

35 ページと同じ

2

1

答え				
	❶	❷	❸	❹
じょうけん	d e	f h	b c	a b g

🔊 023-026

❶

A　　　：さいとうさん、家はもう見つかりましたか。

さいとう：いいえ、まだなんです。いろいろさがしてるんですけど。

A　　　：どんなところをさがしてるんですか。場所とか、かんきょうとか…。

さいとう：うーん、駅に近いところがいいんですが。車がありませんから。（ああ）それから、買い物に便利なところがいいです。

A　　　：駅に近くて、買い物に便利なところ。

さいとう：ええ、でも、いいところがあまりなくて。

A　　　：そうですか。…いいところが見つかるといいですね。

❷

A　：田中（たなか）さん、家、もう見つかりましたか。

田中：まだ見つかってないんです。いろいろさがしてるんですけど。

A　：どんなところがいいんですか。

田中：やちんがあまり高くないところがいいんですが。きゅうりょう、安いから、高いところはちょっと…。それから、車、買わなきゃいけないんで、ちゅうしゃじょうがあるところ。

A　：なるほど、やちんとちゅうしゃじょうですか。…でもきっと見つかりますよ。

田中：そうですね。もう少しさがしてみます。

❸

A　：石川（いしかわ）さん、家はもう見つかりましたか。

石川：いえ、まださがしてるんです。

A　：そうですか。どんなところがいいんですか。

石川：広いところがいいんです。子どもがいますから。それから、あんぜんなところがいいです。うちの子はまだ小学生だし、妻も外国に住むのははじめてだし。

A　：広くてあんぜんなところ。しつれいですが、お子さんは何人ですか。

石川：2人です。2人とも自分のへやがほしいって言ってるんです。

A　　　：そうですか。早く見つかるといいですね。

❹

A　　　：のりかさん、家、もう見つかりましたか。

のりか：まだなんです。いろいろさがしているんですけど。

A　　　：どんなところがいいか、聞いてもいいですか。

のりか：ええ、広くて、静かなところがいいんですが。

A　　　：広くて、静かなところですか。

のりか：それから、ペットがかえるところ。

A　　　：え、ペット？

のりか：ええ。動物をかってるんです。

A　　　：へえ、いぬですか、ねこですか。

のりか：いぬとねこです。2ひきずついます。

A　　　：え、全部で4ひき…。

2

答え
b d c a

🔊 027

A：家はもう見つかりましたか。

B：いいえ、まだなんです。いろいろさがして（い）るんですけど。

A：どんなところをさがして（い）るんですか。場所とか、かんきょうとか。

B：駅に近くて、買い物に便利なところがいいんですが。

A：そうですか。

B：ええ。でも、いいところがあまりなくて。

A：たいへんですね。

3

1

(2)

答え			
❶d	❷c	❸a	❹b

🔊 028

ケイト：石川（いしかわ）さん、もう家は見つかりましたか。

石川　：はい、やっと見つかりました。週末はひっこしです。

ケイト：それはよかったですね。どこですか。

石川　：キングズベイというところです。

ケイト：ああ、知ってます。かんきょうがいいところですよね。友だちが住んでます。

石川　：会社まで少しとおいけど、広くていい家があったから、そこに決めました。にわが広くてあそべるから、子どもも喜んでます。

ケイト：そうですか。

石川　：おちついたら、みんなをしょうたいしますから、ぜひ
　　　　あそびに来てください。
ケイト：はい。じゃあ、楽しみにしています。

2

(1)（あそべる／あそべます）（あんぜんだ／あんぜんです）
　　（ちかい／ちかいです）
(2) c b、d a

3
(1)

029
39 ページと同じ

4

1

(1) ❶ c　❷ b
(2)

	リリーさん	八木（やぎ）さん
❶	b	e
❷	d	a g

030・031
40 ページと同じ

2

❶（d なくても）　❷（a たかくても）　❸（b ふべんでも）
❹（e あかるくなくても）

032
❶ シャワーしか使わないので、おふろがなくてもいいです。
❷ 兄といっしょに住むから、やちんが少し高くてもだいじょう
　 ぶです。
❸ 車があるから、こうつうが不便でも問題ありません。
❹ 昼は家にいないので、へやが明るくなくてもいいです。

3
(1)

❶（c ひろければ）　❷（a あれば）　❸（b なければ）
❹（d たかくなければ）　❺（e あんぜんなら）

033
❶ お客さんがたくさん来るので、広ければ、その家を借りたい
　 です。
❷ 1 人で住みますから、へやは 1 つあれば、だいじょうぶです。
❸ 料理ができないから、近くにレストランがなければ、こまり
　 ます。
❹ きゅうりょうが安いので、やちんが高くなければ、そのへや
　 を借ります。
❺ ざんぎょうが多いから、夜もあんぜんなら、そのマンション
　 にします。

(2)

❶（かえば）　❷（すめば）　❸（たべれば）　❹（かえれば）

034
❶
A：この家、いいですが、毎日の買い物に不便かもしれません
　 ね。
B：そうですね。でも、週末スーパーでたくさん買えば、だいじょ
　 うぶですよ。

❷
A：このマンション、やちんが高いけど、だいじょうぶですか。
B：だれかといっしょに住めば、借りられますよ。

❸
A：この家、近くにレストランがありませんね。
B：そうですね。でも、会社の近くで食べればいいから、問題
　 ありません。

❹
A：このあたりは、何もありません。夜、ちょっとあぶないか
　 もしれませんね。
B：でも、早く帰れば、だいじょうぶですよ。

(3)

答え

	❶	❷	❸	❹
ア	□としん ☑こうがい	☑としん □こうがい	□としん ☑こうがい	☑としん □こうがい
イ	□つうきんの便利さ ☑子どもの学校の近さ	☑こうつうの便利さ □家の広さ	☑びょういん □かんきょうのよさ	□やちん ☑おしゃれなところ

🔊 035-038

❶

A　：木村（きむら）さん、家をさがしてるそうですね。

木村：ええ、子どもが大きくなったんで、こうがいのもっと広い家にひっこしたいと思ってるんです。子どもの学校もこうがいにあるから。

A　：会社までとおくなりますね。

木村：ええ、たぶん。でも、子どもの方がだいじですからね。学校が近ければ、つうきんに不便でもいいです。

❷

A　：さとうさん、ひっこすんですか。

さとう：ええ、としんでマンション、さがしてるんです。

A　：今の家は？

さとう：売ります。もう夫と2人だから、広すぎて。としんのマンションの方がせまくても、いろいろ楽しめると思って。

A　：さとうさん、しゅみはびじゅつかんに行くことですからね。

さとう：ええ、こうつうが便利なところがいいですよ。

❸

A　：川野（かわの）さん、家をさがしているんですか。

川野：ええ、こんど母といっしょに住むんです。

A　：そうですか、お母さんと。どんなところをさがしてるんですか。

川野：こうがいのかんきょうがいいところがいいんですが、それよりまずびょういんが近くなければだめなんです。母は体がよわいんで。

A　：そうですか。こうがいで、びょういんの近く。いいところがあるといいですね。

❹

A　：山田（やまだ）さん、ひっこすんですか。

山田：ええ、としんのおしゃれなマンションをさがしてるんです。

A　：としんはやちん、高いですよ。

山田：だいじょうぶ。おきゅうりょうもあがったし、友だちといっしょに住むから。おしゃれなところなら、やちんが高くても住んでみたいです。

A　：へえ、そうですか。

(4)

答え

❶（b ちかければ）（c ふべんでも）
❷（d べんりなら）（g ひろくなくても）
❸（f ちかくなければ）
❹（e ところなら）（a たかくても）

🔊 039

❶ 木村　：子どもの学校が近ければ、つうきんに不便でもいいです。

❷ さとう：こうつうが便利なら、広くなくてもだいじょうぶです。

❸ 川野　：母のためにびょういんが近くなければこまります。

❹ 山田　：おしゃれなところなら、やちんが高くても借りたいです。

5

1

答え

(1)　d → c → a → b
(2)　例：しごとができる／たのしくせいかつできる

🔊 040

43ページと同じ

◆ トピック3　ほっとする食べ物　　　　p44

1

1

答え

❶a　❷d　❸b　❹c

3

答え

❶a　❷b　❸c　❹e　❺d

漢字のことば

🔊 041

45 ページと同じ

2

1

答え				
	❶	❷	❸	❹
(1)	a	c e	g	d
(2)	h	i	k	j

🔊 042-045

❶

A　：エドさん、日本の食べ物にはもうなれましたか。

エド：はい。よく食べてますよ。

A　：何が好きですか。

エド：そうですね。うどんとか、大好きで、よく食べます。

A　：外国の人には、うどんは、味がうすくないですか。

エド：はじめはそう思いましたが、今はうすい味がおいしいです。

A　：そうですか。よかった。じゃあ、こんどいっしょに、うどん、食べに行きましょう。

エド：ええ、ぜひ。

❷

A　　：リリーさん、日本の食べ物にはもうなれましたか。

リリー：ええ、ほとんど毎日、食べてますよ。

A　　：何が好きですか。

リリー：肉じゃがとか、おやこどんとか、好きです。

A　　：へえ。でも肉じゃがも、おやこどんも、外国の人には味があまくないですか。

リリー：ええ、だいじょうぶです。おいしいです。

A　　：じゃあ、こんどうちに食べに来てください。

リリー：わあ、ぜひ。

❸

A　　：ジョイさん、日本の食べ物はいかがですか。

ジョイ：ええ、おいしいものがたくさんありますね。

A　　：どんなものがおいしいですか。

ジョイ：くだものがおいしいですね。ももとか、ぶどうとか。かきも。

A　　：でも、ねだんが高くないですか。

ジョイ：いえいえ、だいじょうぶです。

A　　：そうですか。

---

❹

A　：ホセさん、日本の食べ物はいかがですか。お口にあいますか。

ホセ：ええ、おいしくて体にいい食べ物が多いですね。

A　：何をよく食べますか。

ホセ：そうですね、きんじょの店で、やき魚（やきざかな）ていしょくをよく食べてます。

A　：やき魚ていしょく。ホセさんには、りょうが少なすぎませんか。

ホセ：いやあ、はじめはそう思いました。でも、今はだいじょうぶですよ。じつは私、ちょっとやせたんです。体が軽くなりましたよ。

A　：あ、そうですか。

2

答え
（あまくないですか）（たかくないですか） （おおきすぎませんか）

3

1

(2)

答え
❶a　❷d　❸b　❹e　❺c

🔊 046

スリポーン：川井（かわい）さん、ゆうしょくは毎日、どうしてますか。自分で？

川井　　　：はい。夜はうちで作って食べてます。

スリポーン：和食ですか。

川井　　　：ええ。私、日本人なので、白いご飯とみそしるがいちばんほっとするんですよ。野菜もたくさん食べたいし…。

スリポーン：そうですか。買い物はどこでするんですか。和食のざいりょう、バンコクでも買えますか。

川井　　　：ええ。おこめはデパートで買ってますが、野菜や魚はきんじょのスーパーに何（なん）でもあるから、問題ないです。

スリポーン：そうですか。それは便利ですね。

川井　　　：はい。こんど何かおいしいもの作りますから、食べに来てください。

スリポーン：ありがとうございます。じゃあ、私にもてつだわせてください。

川井　　　：ええ、お願いします。

2

> 答え
>
> （日本人な）（ある）（つくります）

3

(1)

🔊 047

49 ページと同じ

A：見た目が木みたいですね。

B：ええ、木のケーキという意味なんですよ。

A：ああ、やっぱり。

❹

A：その飲み物は何ですか。

B：アメリカのソフトドリンクですよ、どうぞ。

A：あ、ちょっと、くすりみたいな味がしますね。

C：ほんとだ。これ、味がくすりみたいですね。

B：ええ、でもくすりじゃなくて、ソフトドリンクなんですよ。
よかったら、どうぞ。

(2)

> 答え
>
> ❶（おすしみたいな）　❷（はなみたいな）　❸（きみたい）
>
> ❹（くすりみたい）

4

1

> 答え
>
> (1) ・ラーメン　・ありません
> (2) ・ベジマイト　・なつかしいオーストラリアの味だから
> (3) ❶ b　❷ a

🔊 048・049

50 ページと同じ

🔊 054

❶ キンパはおすしみたいな食べ物です。

❷ このお茶は花みたいなにおいがします。

❸ バウムクーヘンは見た目が木みたいです。

❹ このソフトドリンクは味がくすりみたいです。

2

(1)

> 答え
>
> | ❶ | ❷ | ❸ | ❹ |
> |---|---|---|---|
> | a | c | d | b |

🔊 050-053

❶

A：あのう、その料理は何ですか。

B：あ、これは韓国（かんこく）のキンパです。おいしいですよ。

A：ふーん、日本のおすしみたいな食べ物ですね。

C：ほんと。見た目がおすしみたいですね。よくにてる。

B：ええ、でも、味は少しちがいますよ。ひとつ、どうぞ。

C：じゃ、いただきます。

❷

A：その飲み物は、何ですか。

B：中国のお茶ですよ、どうぞ。

A：あ、これ何ですか。花みたいなにおいがしますね。

C：ほんとだ。このお茶、においがお花みたいですね。

B：いいにおいでしょう？ どうぞ、飲んでみてください。

❸

A：そのおかし、何ですか。おいしそうですね。

B：バウムクーヘンですよ、ひとつ、どうぞ。

---

(3)

> 例
>
> ❶のりは見た目がかみのけみたいです。
> ❷スターフルーツはほしみたいな食べ物です。
> ❸とうふはチーズみたいです。

3

(1)

> 答え
>
> | | Aさん | Bさん | Cさん |
> |---|---|---|---|
> | ❶ | ○ | × | × |
> | ❷ | × | ○ | × |
> | ❸ | ○ | × | × |

🔊 055-057

❶

Q：みなさん、今日はしょくせいかつについて教えてください。
まず、食べ物に好ききらいはありますか。

A：好ききらい、あります。

B：ないです。

C：私もありません。

❷

Q：みなさん、日本のなっとうは好きですか。

A：なっとうは、あまり好きじゃないです。

B：私は好きです。毎日食べてます。

C：すみません。なっとうだけは好きじゃありません。

❸

Q：ではさいごに、自分で料理をしますか。

A：はい、自分でよく料理をします。

B：私はしないですねえ。

C：私も料理はしません。

Q：どうもありがとうございました。

(2)

答え

❶c ❷d ❸b ❹a

🔊 058

川井　　：さあ、かてい料理で、ごちそうじゃありませんが、どうぞ。

スリポーン：ごちそうですよ。おいしそう。

川井　　：そうですか。じしんありませんけど…。きらいなものはのこしてくださいね。

スリポーン：はい。いただきます。

川井　　：それ、ちょっとしょっぱくないですか。

スリポーン：いえ、ぜんぜん問題ないですよ。とってもおいしいです。

川井　　：ああ、よかった。

5

1

答え

(1) 外食：日本料理　うち：インド料理

(2)「食は文化」と言いますから

🔊 059

53 ページと同じ

◆ トピック4　訪問　　　　　　　　　　p54

1

1

答え

❶a ❸c ❺d ❼b

🔊 060

55 ページと同じ

2

答え

❶a ❷a a ❸b ❹b ❺a

🔊 061

❶ 私の父はエンジニアです。

❷ うちは、妻と子ども 2 人の、4 人家族です。

❸ シンさんはお姉さんが 3 人いるそうです。

❹ 田中（たなか）さんのおじいさんは、むかし、タイで働いていたそうです。

❺ 私のむすめの家族は、広島（ひろしま）に住んでいます。

漢字のことば

🔊 062

55 ページと同じ

2

1

答え

	❶	❷	❸	❹
(1)	d	c	a	b
(2)	j	j	f	i

🔊 063-066

❶

ようこ：カールさん、ちょっと、待っててくださいね。今、家族をよびますから。お父さん、おばあちゃん、めぐみ、しょう、みんな集まって。カールさんよ。

しょう：お母さん、お客さん？

ようこ：あ、しょう、こっちに来なさい。カールさん、むすこのしょうです。今、小学校 3 年生です。
　　　　しょう、こちら、カールさんよ。お母さんの会社の友だち。

しょう　：しょうです。よろしくお願いします。
カール　：こんにちは、しょうくん。カールです。

❷

ようこ　：しょう、お姉ちゃんは？
しょう　：お姉ちゃん？　さあ…。あ、来た。
ようこ　：めぐみ、何やってんの。
めぐみ　：ごめんなさい。
ようこ　：カールさん、むすめのめぐみです。めぐみは来年、大学じゅけんなんです。
めぐみ　：めぐみです。カールさん、Nice to meet you.
カール　：こんにちは。

❸

ようこ　：あ、お父さん、こっちよ。
かずお　：あ、どうも。いらっしゃい。お待ちしてました。
ようこ　：うちのしゅじんです。旅行会社につとめています。
カール　：はじめまして。カールです。
かずお　：ようこそ。山本（やまもと）かずおです。いつもかないがおせわになっています。

❹

よしえ　：あら、こんにちは。
ようこ　：あ、カールさん、うちのおばあちゃんです。今、英語をならってるんですよ。
よしえ　：Hello. My name is Yoshie. ようこの母です。ゆっくりしていってくださいね。
カール　：はい、ありがとうございます。
タマ　　：ニャ～。
カール　：あ、かわいいねこですね。
よしえ　：かわいいでしょ。この子、タマって言います。ね、タマ。
タマ　　：ニャ～。

2

答え
❷
ようこ　：しょう、<u>お姉ちゃん</u>は？
しょう　：<u>お姉ちゃん</u>？　さあ…。あ、来た。
・・・・
ようこ　：カールさん、<u>むすめ</u>のめぐみです。
めぐみ　：めぐみです。カールさん、Nice to meet you.
カール　：こんにちは。
❸
ようこ　：あ、<u>お父さん</u>、こっちよ。
かずお　：あ、どうも。いらっしゃい。お待ちしてました。
ようこ　：うちの<u>しゅじん</u>です。
カール　：はじめまして。カールです。

家族をよぶとき：おねえちゃん、おとうさん
カールさんに紹介するとき：むすめ（のめぐみ）、
　　　　　　　　　　　　　　　（うちの）しゅじん

🔊 067・068
答えと同じ

3

1

(2)

答え
❶ a　**❷** c　**❸** d　**❹** b

🔊 069
カール　：山本（やまもと）さんは、アメリカに行ったこと、ありますか。
ようこ　：カールさん、私たち、ニューヨークに住んでたんですよ。
カール　：え、ほんとに？　いつごろですか。
ようこ　：2004 年から 2010 年まで、やく 6 年間です。
カール　：へえ、私もそのころニューヨークで勉強していたんですよ。
ようこ　：ぐうぜんですね。
カール　：アメリカでの生活はどうでしたか。
ようこ　：ことばがわからなくてこまったけど、しんせつな人が多くてたすかりました。
かずお　：そうだね。あと、家族でよく旅行したね、ようこ。おぼえてるか。グランドキャニオン、すごかったよね。
ようこ　：ええ、あれはすばらしかった。わすれられないけしきだよね。
かずお　：ああ。ぼくも、じんせいかんが変わった。
カール　：へえ、そうですか。

2

答え
❶ ようこ→（カール）　　**❷** ようこ→（カール）
❸ ようこ→（カール）　　**❹** かずお→（ようこ）
❺ かずお→（ようこ）　　**❻** ようこ→（かずお）

3

(1)
🔊 070
59 ページと同じ

4

1

┌─────────────────────────────────────┐
答え
（1）アニスさんとお兄（にい）さん
（2）私より日本文化にくわしいので
（3）例：家によんでくれました
　　部屋（へや）には生け花や日本のおみやげがきれいにか
　　ざってありました
　　アニスさんとお兄さんは…日本語がとても上手です
　　ご両親と話すとき、通訳（つうやく）をしてもらいまし
　　た
　　日本でとった写真を見せてくれました
　　日本にいたとき、お花とおどりをおぼえたそうです
　　アニスさんがおみやげにおかしをくれました。お母さん
　　の手作り（てづくり）だそうです
└─────────────────────────────────────┘

🔊 071

60 ページと同じ

2

(1)

┌─────────────────────────────────────┐
答え
❶（よんでくれました）　❷（かいてくれました）
❸（むかえにきてくれます）　❹（つれていってくれます）
└─────────────────────────────────────┘

🔊 072-075

❶
アニス：坂本（さかもと）さん、ジャカルタにはもう、なれま
　　　　したか。
坂本　：いやあ、まだあまり…。毎日、自分の家と会社だけだ
　　　　から…。
アニス：あのう、よかったらこんどの土よう日、うちにあそび
　　　　に来ませんか。
坂本　：え、アニスさんのうちに？ ほんとうですか。
アニス：ええ、ぜひ。
坂本　：うれしいです。よろしくお願いします。

❷
坂本　：アニスさんの家は、ジャカルタのどのあたりですか。
　　　　ちょっと地図で教えてくれませんか。
アニス：あ、はい。ええっと、だいたいこのあたりです。
坂本　：へえ。わかりました。
アニス：そうだ、うちの住所と電話ばんごう、書きましょうか。
坂本　：ええ、お願いします。じゃあ、このノートに。

❸
アニス：坂本さん、あしたはどうやってうちに来ますか。

坂本　：ええっと、バスで行けますか。
アニス：あのう、よかったら私、車でむかえに行きましょうか。
坂本　：え、アニスさん、運転できるんですか。
アニス：ええ、まあ…。
坂本　：じゃあ、いいですか。たすかります。
アニス：はい。

❹
アニス：坂本さん、インドネシアのいちばに行ったことありま
　　　　すか。
坂本　：いちば？
アニス：はい。野菜とか、くだものとか、おかしとか売ってる
　　　　店がたくさんありますよ。
坂本　：ああ、おもしろそうだけど、まだ行ったことないです。
アニス：じゃあ、土よう日、うちに行く前に、近くのいちばに
　　　　行きましょうか。
坂本　：わあ、ぜひ、行きたいです。お願いします。

🔊 076

アニスさんはとても親切な人です。
❶ アニスさんは私を家によんでくれました。
❷ じゅうしょと電話ばんごうをかいてくれました。
❸ 私の家まで車でむかえに来てくれます。
❹ いちばにつれていってくれます。

(2)

┌─────────────────────────────────────┐
答え
❶（d もってきてくれました）　❷（c てつだってくれました）
❸（a あそんでくれました）　❹（b たべてくれました）
└─────────────────────────────────────┘

🔊 077

坂本（さかもと）さんはとてもやさしい人です。
❶ 坂本さんはおみやげを持ってきてくれました。
❷ いちばで買い物をするとき、てつだってくれました。
❸ 兄の子どもとあそんでくれました。
❹ うちの料理を何（なん）でもおいしいと言って食べてくれま
　 した。

3

(1)

┌─────────────────────────────────────┐
答え
❶（d はなしてもらいました）　❷（c とってもらいました）
❸（a おくってもらいました）　❹（b かしてもらいました）
└─────────────────────────────────────┘

🔊 078

週末、アニスさんとご家族におせわになりました。
❶ インドネシア語がよくわからないので、ご両親にゆっくり話
　 してもらいました。

143

❷ お兄さんのカメラで写真をとってもらいました。

❸ そして、その写真をメールで送ってもらいました。

❹ アニスさんにインドネシアの音楽の CD を貸してもらいました。

(2)

答え
❶（してもらいました）　❷（おしえてもらいました）
❸（つくってもらいました）　❹（うたってもらいました）

🔊 079-082

❶
アニス：坂本（さかもと）さん、紹介します。私の父です。
父　　：Selamat datang（ようこそ）, Sakamoto-san.
坂本　：あ、こんにちは。アニスさん、すみませんが、つうやくお願いできませんか。私、インドネシア語、まだできなくて。
アニス：もちろん、いいですよ。

❷
坂本　：アニスさん、インドネシア語で、ありがとうは Terima kasih ですか。
アニス：はい、そうですよ。坂本さん、じょうずですね。
坂本　：ふふ。じゃあ、どういたしましては？
アニス：Sama-sama です。
坂本　：Sama-sama. わかりました。Terima kasih.
アニス：ふふふ。Sama-sama.

❸
アニス：坂本さん、お願いがあるんですが…。
坂本　：何ですか。
アニス：あのう、てんぷら、作ってくださいませんか。母が食べてみたいって…。
坂本　：ああ、喜んで。おいしいの、作りますよ！
アニス：ありがとうございます。

❹
アニス：坂本さんは、歌が上手だそうですね。何かひとつ、歌ってくださいませんか。
坂本　：え、歌？ ははは。アニスさん、好きな歌、ありますか。
アニス：じゃあ、「昴（すばる）」とか…。
坂本　：あ、それ、私も好きな歌です。では…。

🔊 083

❶ アニスさんにつうやくをしてもらいました。

❷ アニスさんにインドネシア語を教えてもらいました。

❸ 坂本さんにてんぷらを作ってもらいました。

❹ 坂本さんに日本の歌を歌ってもらいました。

5

1

答え
(1) 例：インドネシアに帰ってから、日本語を使ったり日本の文化にふれたりする機会（きかい）が少なくて
(2) 例：また日本とつながりました

🔊 084

63 ページと同じ

◆ トピック5　ことばを学ぶ楽しみ　　　p64

1

1

答え
❶ b　❷ e　❸ d　❹ c

2

答え
❶ e　❷ d　❸ c　❹ a　❺ b

🔊 085

❶ CD をよく聞いたので、はやいかいわが聞きとれるようになりました。

❷ いっしょにまなぶ友だちがいるので、日本語の勉強がつづいています。

❸ ぶんぽうは、ほかの外国語やぼごとひかくして考えるようにしています。

❹ はずかしがらないで、せっきょく的に話すことがたいせつです。

❺ 日本人と話して、自分の日本語がつうじると、じしんがつきます。

漢字のことば
🔊 086

65 ページと同じ

2

1

	❶	❷	❸	❹
(1)	b	a	d	c
(2)	f	h	g	e

🔊 087-090

❶

田中　　　：ナターリヤさん、日本語、上手になりましたね。

ナターリヤ：いいえ、そんなこと、ないです。まだまだです。

田中　　　：ぼくは、ぜんぜん英語が話せるようになりませんよ。

ナターリヤ：そうですか。

田中　　　：もっと上手になりたいんですが、何かいい勉強ほうほう、ありませんか。

ナターリヤ：さあ…。私はよく友だちと日本語で話しています。私は話すのが好きだから。ふふふ。

田中　　　：そうですか。ぼくも、はずかしがらないでせっきょく的に話すようにしているんですけど…。

❷

田中　　：エスターさん、日本語、上手になりましたね。

エスター：いいえ、そんなこと、ないです。まだまだです。

田中　　：ぼくは、英語の聞きとりが苦手で…。何かいいほうほう、ありませんか。

エスター：うーん、そうですね。私は、日本のアニメをよく見ます。

田中　　：へえ、アニメですか。それで、エスターさんは、はやいかいわも聞きとれるようになったんですね。

エスター：ふふふ、たぶん。それから、見た後で、ことばをまねしたりします。アニメのキャラクターみたいに言うのは、おもしろいですよ。

田中　　：アニメを見て、まねして言う。よさそうですね。ぼくもやってみます。

❸

田中　　：エドワードさん、日本語、上手ですね。うらやましい。

エドワード：ありがとう。

田中　　：ぼくも、毎日英語のニュースを見てるんです。エドワードさんみたいに上手になれるように。

エドワード：がんばってますね。でも、日本語はそんなにむずかしくないと思いますよ。

田中　　：そうですか。

エドワード：私は今までに、日本語、スペイン語、それから、アラビア語を勉強したんですが、（へえ。）いろいろな外国語を勉強すると、ひかくできてぶんぽうがわかりやすくなるんですよ。

田中　　：ふーん。ぶんぽうがわかりやすくなる、なるほど。

❹

田中　　：タイラーさん、日本語は漢字がむずかしくないですか。

タイラー：ええ、漢字をおぼえるのが一番苦手です。だから、わすれないように、ノートをいつも持ってます。

田中　　：へえ、見てもいいですか。

タイラー：ええ、ほら。電車の中とかで、できるだけ見るようにしてるんです。

田中　　：すごいですね。ぼくも見ならわなきゃ。

2

（ききとれるようになりました）（みるようにして（い）ます）（わすれないように）

3

1

(2)

❶b　❷d　❸c　❹a

🔊 091

さいとう：田中（たなか）くん、英語の学校、つづいてるね。

田中　　：ええ、もう１年です。いろいろな人がいて、おもしろいですよ。

エスター：へえ。どんな人がいますか。

田中　　：学生、会社員、たいしょくした人、あと、げいじゅつかもいるよ。

エスター：それは、楽しそうですね。

田中　　：うん。自分とはちがういけんが聞けて、勉強になるよ。

さいとう：仕事のことをわすれて学生になれるのが、楽しいよね。

エスター：私は日本語クラスで同じしゅみの人に会えるのが、一番の楽しみです。

さいとう：エスターさんも、日本語の学校、つづいてますね。

エスター：はい。もう２年になります。

さいとう：そうですか。上手になりましたね。田中くんもエスターさんを見ならわなきゃ。

田中　　：はい、がんばります。

2

答え
❶ さいとう→（たなか）　❷ 田中→（さいとう）
❸ 田中→（エスター）　❹ 田中→（エスター）
❺ さいとう→（エスター）　❻ さいとう→（たなか）

3

(1)

🔊 092

69 ページと同じ

4

1

答え

	タンさん	エスターさん
(1)	チャット	アニメ、マンガ
(2)	☐ a ねだんが安い	☑ a おぼえやすい
	☑ b 話しことばが勉強できる	☑ b おもしろい
	☑ c 楽しい	☐ c 友だちができる
(3)	例：留学（りゅうがく）	例：マンガカフェ

🔊 093・094

70 ページと同じ

2

(1)

答え
❶ b　❷ a　❸ d　❹ c

🔊 095-098

❶
A　：川井（かわい）さん、何、読んでるんですか。
川井：タイ語の本です。じつは、もっと勉強して、タイ語のて
　　　がみをほんやくするボランティアをしようと思ってるんで
　　　す。
A　：へえ、てがみのほんやくボランティアですか。すごいで
　　　すね。私も見ならわなきゃ。

❷
A　：アリさん、マンガ、読んでて、試験、だいじょうぶですか。
アリ：いいんです。これも勉強。大学を卒業したら、アニメを
　　　つくる会社に入ろうと思ってるんです。
A　：へえ。日本で働くんですか。

アリ：ええ。やっぱり、アニメなら日本、ですから。

❸
A　：山田（やまだ）さん、あれ？ スペイン語ですか。
山田：ええ。来年スペインにフラメンコをならいに行こうと思っ
　　　てるんです。
A　：フラメンコですか。いいですね。
山田：はい。行くなら、スペイン語もちゃんと勉強しようと思っ
　　　て。

❹
A　：ホセさん、料理のことばを勉強しているんですか。
ホセ：はい。じつは、メキシコで、日本料理の店を始めようと思っ
　　　てるんです。
A　：へえ。すてきなゆめですね。
ホセ：ははは。メキシコでも日本料理は人気があるんですよ。

(2)

答え
❶ （しようとおもっています）
❷ （はいろうとおもっています）
❸ （ならいにいこうとおもっています）
❹ （はじめようとおもっています）

🔊 099

❶ タイ語のてがみをほんやくするボランティアをしようと思っ
　 ています。
❷ アニメをつくる会社に入ろうと思っています。
❸ スペインにフラメンコをならいに行こうと思っています。
❹ 日本料理の店を始めようと思っています。

3

答え
❶ （c よめそうです）　❷ （d おぼえられそうです）
❸ （a できそうです）　❹ （b でそうな）（e おくれそうです）

🔊 100

❶
ジョイ：この本、日本のしょうせつを英語にほんやくしたもの
　　　　です。よかったら、読んでみてください。
八木　：ありがとうございます。これならむずかしくないから、
　　　　私にも読めそうです。

❷
野田　：このサイトで１日に５つずつ、たんごをおぼえるとい
　　　　いですよ。
ジョイ：そうですか。１日に５つなら、おぼえられそうです。

❸
野田　：大学のレポートは、もう書けましたか。しめきりはあ
　　　　　したですよね。
カーラ：ええ。シンさんにいい本を貸してもらったので、今日
　　　　　中にできそうです。

❹
カーラ：来週、試験があるんです。試験に出そうな漢字を教え
　　　　　てください。
八木　：すみません。今日はもう時間、ないんです。英語の学
　　　　　校におくれそうです。また、こんど。

4

答え
❶（も）　❷（も）　❸（だけ）　❹（しか）　❺（も）

🔊 101
❶ この学校には、外国人の先生が何人もいます。
❷ この学校は、文化イベントが年に何回もあるので、楽しみで
　 す。
❸ 日本語のコースは、しょきゅう、ちゅうきゅう、じょうきゅ
　 うの３つだけです。
❹ じょうきゅうコースはむずかしいので、学生が４人しかいま
　 せん。
❺ この学校のじゅこう料は、48,000円もするので、私はぜっ
　 たい休みません。

5
1

答え
（1）仕事が忙しくなって
（2）こちらで、語学学校（ごがくがっこう）にかよう人たち
　　 を見て

🔊 102
73ページと同じ

◆ トピック6　結婚　　　　　　　　　　　　　　　　p76

1
1

答え
❶a　❷d　❸b　❹c

2

答え
❶b　❷f　❸a　❹c　❺e

🔊 103
❶ 姉が病気でにゅういんしています。姉が好きな花を持ってお
　 みまいに行きます。
❷ 友だちが留学します。みんなでカードを書いてはげまします。
❸ 来月、友だちが結婚します。お祝いにペアのカップをあげま
　 す。
❹ こいびとがかいがいにてんきんしたので、会えなくてさびし
　 いです。
❺ 友だちのお父さんがなくなりました。友だちの家に行ってな
　 ぐさめます。

漢字のことば
🔊 104
77ページと同じ

2
1

答え
	❶	❷	❸	❹
(1)	b	e	d	c
(2)	f	h	i	g

🔊 105-108
❶
A　　　：パウロさん、聞きましたか。のりかさん、結婚するそ
　　　　　うですよ。
パウロ：え、ほんとうですか。だれと？
A　　　：日本祭で知りあった人だそうです。
パウロ：へえ、そうですか。よかったですね。
A　　　：あいての人、とてもやさしい人だそうですよ。このあ
　　　　　いだ、うれしそうに話してました。
パウロ：じゃあ、今、きっと幸せでしょうね。

A　　：そうですね。それで、何かお祝いをしようと思うんですが。

パウロ：お祝い？ いいですね。そうしましょう。

❷

A　　：聞きましたか。吉田（よしだ）さん、今にゅういんしてるそうですよ。

野田：え、ほんとですか。どうしたんですか。

A　　：家でかいだんからおちて、足、けがしたそうです。

野田：そうですか。たいへんですね。

A　　：ええ、でももういたくなくて、元気だそうですよ。

野田：じゃあ、びょういんでたぶんたいくつでしょうね。

A　　：ええ、それで、あしたおみまいに行こうと思うんですが。

野田：それはいいですね。私も、おみまい、いっしょに行ってもいいですか。

A　　：はい、もちろんです。

❸

A　　：あのう、知ってますか。川野（かわの）さん、こいびととわかれたそうですよ。

あべ：え、まさか、うそでしょう。どうして？

A　　：ほんとうです。川野さんは結婚したかったんだけど、あいてはそうじゃなかったそうです。

あべ：へえ、そうですか。川野さん、かわいそうですね。

A　　：ええ、とてもさびしそうでした。３年もつきあってましたからね。

あべ：ふうん。

A　　：それで、私、川野さんにメール、書いてみようと思うんですが、どう思いますか。

あべ：ああ、いいと思います。

❹

A　　：知ってますか。キムさん、こんどてんきんするそうですよ。

木山：え、ほんとですか。どこに行くんですか？

A　　：スペインです。マドリードだそうですよ。

木山：へえ、そうですか。すごいですね。きっとうれしいでしょうね。

A　　：ええ、ちょっとふあんそうでしたが、がんばるって言ってましたよ。それで、キムさんをはげますために、食事にさそおうと思うんですが。

木山：食事？ いい考えですね。そうしましょう。

②

(1)

> 答え
> （たいくつでしょうね）（うれしいでしょうね）
> （よろこんで（い）るでしょうね）

(2)

> 答え
> （いこうとおもうんですが）（なぐさめようとおもうんですが）
> （さそおうとおもうんですが）

ことばと文化

🔊 109

Q：聞きましたか。川野（かわの）さん、こいびととわかれたそうですよ。

a：へえ、そうですか。

b：えっ、ほんとうですか。

c：えっ、うそ！

3

①

(2)

> 答え
> ❶b　❷a　❸d　❹c

🔊 110

パウロ：のりかさん、聞きましたよ。結婚するそうですね。

のりか：ええ、そうなんです。

パウロ：おめでとうございます。よかったですね。あいての人はどんな人ですか。

のりか：ブラジルの人で、ぎんこうにつとめてます。

森　　：聞きましたよ。やさしい人なんですよね。

のりか：ええ。

パウロ：そうですか。あのう、どうやって知りあったんですか。

のりか：じつは、おととしの日本祭のとき、はじめて会ったんです。

森　　：ああ、のりかさんとかれは、日本祭でボランティアとして働いてましたよね。

パウロ：へえ。結婚式は？

のりか：５月です。森（もり）さんも、パウロさんも、しょうたいしますから、ぜひしゅっせきしてくださいね。

パウロ：もちろん、喜んで。

②

> 答え
> よ　：のりかさん、聞きましたよ。／聞きましたよ。
> ね　：結婚するそうですね。／よかったですね。／森さんも、パウロさんも、招待しますから、ぜひ出席してくださいね。
> よね：やさしい人なんですよね。／のりかさんとかれは、日本祭でボランティアとして働いてましたよね。

5

1

答え
(1) ❶（b c）❷（a d）
(2) 例：大きな結婚式をすると思います

🔊 111・112
82ページと同じ

2

(1)

答え
❶（a いわってあげます）　❷（c てつだってあげます）
❸（b しゅっせきしてあげたいです）
❹（e とってあげようと思います）
❺（d ひいてあげようと思います）

🔊 113

❶ フリオ　　　：友だちみんなでパーティーをして、ふたりの結婚をいわってあげます。
❷ 森　　　　　：結婚式の前は忙しいので、じゅんびをてつだってあげます。
❸ おばあさん：のりかは私のかわいいまごです。何があっても結婚式にしゅっせきしてあげたいです。
❹ パウロ　　　：結婚式の日、ふたりのビデオをとってあげようと思います。のりかさん、きれいでしょうね。
❺ ロザナ　　　：私は、結婚式でピアノをひいてあげようと思います。今、ふたりの好きなきょくをれんしゅうしています。

(2)

答え
❶ b ❷ b ❸ b ❹ a b ❺ b

🔊 114-118

❶
フリオ：のりかさん、おめでとう。
のりか：ありがとう。
フリオ：ジョージはいい人ですね。
　　　　のりかさんは、ジョージのどんなところが好きですか。
のりか：え？ はは、ええっと…ジョージはとてもやさしいんです。
フリオ：たとえば？
のりか：たとえば、去年私がにゅういんしたとき、毎日おみまいに来てくれました。
フリオ：へえ、毎日。そうですか。

❷
フリオ：のりかさん、ダンス、上手ですね。
のりか：え、そうですか。前はぜんぜんできなかったんですよ。
フリオ：どこかでならったんですか。
のりか：ええ、ジョージに教えてもらいました。かれ、ダンスがとくいなんです。
フリオ：わーお、ジョージ、すごいなあ。

❸
フリオ：結婚式のあとは、ふたりで旅行ですか。
のりか：ええ、少し長い休みをとって、きれいな島につれてってもらいます。
フリオ：ああ、そうですか。
のりか：うふふ。ジョージはいいところをたくさん知ってるんですよ。
フリオ：いいですね。ぜひ楽しんできてください。

❹
森　　　：ジョージさん、おめでとうございます。
ジョージ：ありがとうございます。
森　　　：ジョージさんは、のりかさんのどんなところが好きですか。
ジョージ：え？ えへへ…。あー、明るくて、元気なところです。
森　　　：なるほど。
ジョージ：ぼく、のりかのためによくケーキ作るんですが、のりか、おいしいって言って、たくさん食べてくれます。
森　　　：そーお。ごちそうさま。

❺
森　　　：ジョージさんはのりかさんに何かしてもらったこと、ありますか。
ジョージ：ええ、たくさんありますよ。仕事で日本についてレポートを書いたときも、のりかにいろいろたのんで、やってもらいました。
森　　　：お仕事のレポートを。それはてつだってもらってよかったですね。
ジョージ：ええ。たすかりました。
森　　　：ふたりはほんとうになかがいいんですね。お幸せに。

🔊 119・120

❶ にゅういんしたとき、ジョージは毎日おみまいに来てくれました。
❷ ジョージにダンスを教えてもらいました。
❸ 結婚式のあと、ジョージにきれいな島につれていってもらいます。
❹ よくのりかにケーキを作ってあげます。のりかはたくさん食べて、「おいしい」と言ってくれます。
❺ 仕事で日本についてレポートを書いたとき、のりかにてつだってもらいました。

③

答え
❶× ❷× ❸○ ❹×

❶
アリ ： 友だちの結婚式にしょうたいされたんですが、ちょっと
　　　　聞いてもいいですか。
A　 ： いいですよ。
アリ ： 日本の結婚式はめずらしいから、妹も行きたいと言って
　　　　るんです。しょうたいじょうがなくてもだいじょうぶです
　　　　か。
A　 ： それはだめですよ。日本の結婚式は、ふつう、しょうた
　　　　いじょうがなきゃいけませんよ。
アリ ： そうですか。ざんねんです。

❷
アリ ： もう、お祝いのプレゼントあげたんですが、結婚式の日
　　　　にお金は持っていかなくてもいいですか。
A　 ： うーん、そうですね。ふつうお祝いのお金を持っていき
　　　　ますよ。
アリ ： え、持っていかなきゃいけませんか。ふうん。わかりま
　　　　した。

❸
アリ ： 友だちの結婚式は神社であるんですが、日本では、い
　　　　つも神社やお寺でするんですか。
A　 ： いいえ、結婚式はどこでやってもいいですよ。神社でし
　　　　なくてもいいし、お寺じゃなくてもいいです。
アリ ： ああ、そうなんですか。

❹
アリ ： それから、着ていく服ですが、結婚式のときは、白いネ
　　　　クタイをしなきゃいけませんか。
A　 ： いいえ、しなくてもいいです。ネクタイの色は何（なん）
　　　　でもいいです。でも、黒はだめですよ、黒は。
アリ ： そうですか。いろいろ勉強になりました。どうもありが
　　　　とうございました。
A　 ： どういたしまして。

6

①
（2）

答え
❶○ 　 ❷× 　 ❸×

🔊 125
85 ページと同じ

◆ トピック 7　 なやみ相談　　　　　　　　p86

1

②

答え
❶c ❷b ❸d ❹a

③

答え
❶b ❷c ❸d ❹a

④

答え
❶g ❷a c ❸c ❹d ❺b c

漢字のことば

🔊 126
87 ページと同じ

2

①

答え

	❶	❷	❸	❹
(1)	a	b	d	c
(2)	×	×	○	○

❶

A ：カーラさん、どうしたんですか。いつもより元気がないですね。

カーラ：だいじょうぶです。ちょっとつかれてて。

A ：カーラさんらしくないですよ。ほんとにだいじょうぶですか。

カーラ：ええ。

A ：ほんとに?

カーラ：ほんとにだいじょうぶです。

A ：そうですか。

❷

A ：大山（おおやま）さん、どうしたの。なんだか元気がないね。

大山：だいじょ（う）ぶ。ちょっと寝てなくて…。

A ：ほんとにだいじょうぶ?

大山：うん。

A ：ほんとに?

大山：ほんとにだいじょ（う）ぶ。

A ：そう。

❸

A ：ホセさん、どうしたんですか。今日はあまり話しませんね。

ホセ：そうですか。

A ：ホセさんらしくないですよ。

ホセ：はは…。

A ：だいじょうぶですか。私でよかったら、そうだんにのりますよ。

ホセ：すみません。じつは、仕事のことでちょっと…。

A ：じゃあ、話しましょう。

ホセ：すみません。

❹

A ：ゆうこさん、どうしたの。今日はいつもより静かだね。

ゆうこ：はは、そうかな。

A ：だいじょうぶ? 私でよかったら、そうだんにのるよ。

ゆうこ：ありがとう。じつは、子どものことでちょっと…。

A ：じゃあ、すわって話そう。

ゆうこ：ええ。

2

答え
（ねて（い）なくて）（たべて（い）なくて）（うちのことで）
（こどものことで）

3

1

(2)

答え
❶ a　❷ b　❸ e　❹ c　❺ d

さとう：ちょっとこれ見てください。

ホセ ：何ですか。

さとう：しゃかいじんのなやみランキングなんですが、どう思いますか。

ホセ ：うーん、やっぱりにんげんかんけいが一番多いですね。よくわかります。私のしょくばでも、同じかもしれません。

鈴木 ：こころのけんこうも多いですね。やっぱり、にんげんかんけいに問題があると、こころの病気になるかもしれませんね。

ホセ ：「時間がない」は少ないですね。これはいがいです。どうしてかなあ。ぼくは、今、ほんとに忙しいから。

鈴木 ：え、そうですか。私はそれより、今、仕事がおもしろくなくて…。

さとう：みんなたいへんですね。じゃあ、こんや、飲みに行きましょうか。

ホセ ：そうしましょう。なやみは人に話すと、すっきりしますよ。

鈴木 ：そうですね。

2

答え
（おおいかもしれません）（なるかもしれません）
（いないかもしれません）

3

(1)

91 ページと同じ

4

1

答え

（1）（c）

（2）せっかく時間をつくって会っているのに、ほかの人と長電話をするのはひどいと思います。私はＳ子にマナーをまもってほしいです。

（3）友だちとしての関係はつづけていきたいので

🔊 133

92ページと同じ

2

（1）

答え

❶（あやまった）c　❷（かけた）a

❸（いれてあげた）d　❹（たべる）b

🔊 134

❶ メールであやまったのに、サビタさんはまだおこっています。

❷ 今日、会社でこえをかけたのに、サビタさんはへんじをしてくれませんでした。

❸ せっかくコーヒーをいれてあげたのに、いらないと言われました。

❹ いつもいっしょにちゅうしょくを食べるのに、今日はひとりです。

（2）

答え

❶（a おさけはすきじゃない）　❷（b はやくかえりたい）

❸（d あまりのんだりたべたりしない）　❹（c しんじんな）

🔊 135-138

❶

A　：大山（おおやま）さん、どうしたんですか。元気ないですね。

大山：はあ。会社の飲み会があるんで、ちょっと…。ああ、いやだな…。

A　：どうしてですか。飲み会、楽しくないんですか。

大山：ええ。ぼく、お酒、好きじゃないのに、せんぱいが飲め飲めって、うるさくて。

A　：それはこまりますね。

❷

A　：飲まない人には、飲み会はつらいですね。

大山：ええ。それに、飲み会が終わっても、つぎの店に行こうって言われて。ぼく、早くうちに帰りたいんですよ。夜おそいと、つかれるし。

A　：ああ、なるほどね。

❸

A　：いろいろ大変ですね。

大山：ええ。あ、あと、ぼく、あまり飲んだり食べたりしないのに、どうしてわりかんなんですか。きゅうりょう、安いのに。

A　：たしかにひどいかもしれませんね。

❹

A　：でも、大山さん、行きたくないのに、どうして行くんですか。むりして行かなくてもいいじゃないですか。

大山：そう思って、いちど、行かなかったんです。そしたら、しんじんなのになまいきだって言われました。しんじんは飲み会に出て、にんげんかんけい作らなきゃいけないって、しかられました。

A　：ふうん、そうなんですか。

🔊 139

❶ お酒は好きじゃないのに、すすめられます。

❷ 早く帰りたいのに、つぎの店にさそわれます。

❸ あまり飲んだり食べたりしないのに、わりかんでお金をはらいます。

❹ しんじんなのに、なまいきだと言われました。

3

（1）

答え

❶ b　❷ a

🔊 140・141

❶

ようこ：ねえ、今日、早く帰ってこられる？　しょうのことでそうだんしたいことがあるんだけど。

かずお：こんや…。こんやはだめだな。会議がおそくなるかもしれない。

ようこ：じゃあ、あしたは？

かずお：あしたもむずかしいよ。

ようこ：じゃあ、いつなら時間がとれる？

かずお：ちょっとわからないなあ…。

ようこ：あなたそれでもしょうの父親？　むせきにんじゃないの。

かずお：忙しいんだよ、しかたがないだろう。

ようこ：なによ！

②

しょう：お父さん、こんどの土よう日、サッカーのしあい、見に行くんだよね。

かずお：え、サッカー？

しょう：え？ やくそくしたよ、いっしょに行くって。

かずお：ああ、わすれてたなあ。ごめん、それ、だめだ。出張だから。

しょう：ええ？ またぁ？ 楽しみにしてたのに。

かずお：ごめんな。またこんど、な。

しょう：なんだよう。お父さん、いつもやくそくまもらないんだもん。もういいよっ！

かずお：ふう…。こまったな…。

(2)

> 答え
>
> ❶（b かえってきてほしい）　❷（c かんがえてほしい）
>
> ❸（a あそんでほしい）　❹（f けんかしないでほしい）
>
> ❺（e いわないでほしい）

🔊 142

❶ ようこさんはかずおさんに、もっと早く帰ってきてほしいです。

❷ ようこさんはかずおさんに、子どもの問題について、いっしょに考えてほしいです。

❸ しょうくんはかずおさんに、休みの日にはいっしょにあそんでほしいです。

❹ しょうくんはかずおさんに、お母さんとけんかしないでほしいと思っています。

❺ かずおさんは家族に、いっしょうけんめい働いているので、あまりむりを言わないでほしいと思っています。

5

①

> 答え
>
> ア（a）　イ（b）

🔊 143・144

95 ページと同じ

◆ トピック 8　旅行中のトラブル　　　p96

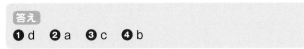

①

> 答え
>
> ❶ d　❷ a　❸ c　❹ b

②

> 答え
>
> ❶ f　❷ c　❸ a　❹ d　❺ e　❻ b

🔊 145

❶ JF こうくう 115（いちいちご）びんをごりようのお客さまにお知らせします。

❷ JF こうくうパリ行き 115 びんは、キャンセルになりました。

❸ 105（いちぜろご）びんは、あと 20 分ほどで、チェックインのてつづきをかいしします。

❹ 205（にぜろご）びんは、1 時間おくれて出発します。午後 2 時 30 分になるよていです。

❺ 305（さんぜろご）びんは、出発ゲートがへんこうになりました。

❻ 115 びんは、エンジンのこしょうのため、キャンセルになりました。

③

> 答え
>
> ❶ a　❷ d　❸ b　❹ c

漢字のことば

🔊 146

97 ページと同じ

2

①

(1)

> 答え
>
> ❶ c　❷ a　❸ b　❹ d

🔊 147-150

❶

お知らせします。JF こうくう 105（いちぜろご）びんロンドン行きは、あと 20 分ほどでとうじょうてつづきをかいしいたしま

す。ごとうじょうのお客さまは、今しばらくお待ちください。

A：すみません。あのう、同じフライトですか。
B：はい。
A：今のアナウンス、何（なん）て言ってましたか。
B：もうすぐ乗れるそうです。あと20分ぐらいで、てつづき
　　が始まるそうです。
A：そうですか。あと20分で乗れるんですね。
B：ええ。
A：ありがとうございました。

❷

お知らせします。JFこうくう205（にぜろご）びんニューヨー
ク行きは、1時間おくれて出発いたします。ごとうじょうは2
時30分になるよていです。お急ぎのところ、もうしわけござ
いませんが、今しばらくお待ちください。

A：すみません。あのう、同じフライトですか。
B：はい、そうです。
A：今のアナウンス、何（なん）て言ってましたか。
B：出発が1時間おくれるそうです。
A：えー、1時間も。じゃあ、出発は2時半ですか。
B：ええ。2時半になるって、言ってましたよ。
A：はあ、そうですか。ありがとうございました。

❸

お知らせします。JFこうくう305（さんぜろご）びんバンコク
行きは、出発ゲートがへんこうになりました。ごとうじょうのお
客さまは、25番ゲートにおこしください。

A：あのう、すみません。同じひこうきですか。
B：ええ、そうです。
A：今のアナウンス、わからなかったんですが、教えてもらえ
　　ませんか。
B：出発ゲートが変わったそうです。15番じゃなくて、25番
　　になったそうです。
A：そうなんですか。25番？
B：ええ。よかったら、いっしょに行きましょうか。
A：ありがとうございます。お願いします。

❹

JFこうくうよりお知らせいたします。JFこうくう115（いちい
ちご）びんはエンジンのこしょうのためキャンセルになりまし
た。ごめいわくをおかけすることをおわびいたします。115び
んごりようのお客さまは、JFこうくうカウンターでくわしいこ
とをおたずねください。

A：あのう、すみません。同じひこうきですか。
B：ええ。
A：今のアナウンス、キャンセルって、言ってませんでしたか。
B：ええ、キャンセルって、言ってましたよ。

A：え、どうしよう！
B：あ、いえ、私たちのひこうきじゃなくて、ほかのびんです。
A：えっ、あー、ほかのびん、はあ、びっくりした。

(2)

答え
❶ 105びん、ロンドン行き、20分ほど、a
❷ 205びん、ニューヨーク行き、d、2時30分
❸ 305びん、バンコク行き、b
❹ 115びん、c、e

🔊 151-154

❶

お知らせします。JFこうくう105（いちぜろご）びんロンドン
行きは、あと20分ほどでとうじょうてつづきをかいしいたしま
す。ごとうじょうのお客さまは、今しばらくお待ちください。

❷

お知らせします。JFこうくう205（にぜろご）びんニューヨー
ク行きは、1時間おくれて出発いたします。ごとうじょうは2
時30分になるよていです。お急ぎのところ、もうしわけござ
いませんが、今しばらくお待ちください。

❸

お知らせします。JFこうくう305（さんぜろご）びんバンコク
行きは、出発ゲートがへんこうになりました。ごとうじょうのお
客さまは、25番ゲートにおこしください。

❹

JFこうくうよりお知らせいたします。JFこうくう115（いちい
ちご）びんはエンジンのこしょうのためキャンセルになりまし
た。ごめいわくをおかけすることをおわびいたします。

[2]

答え
（はじまるそうです）（おくれるそうです）
（かわったそうです）（とばないそうです）

[3]

[1]
(2)

答え
❶c　❷d　❸a　❹b

🔊 155

石川	：あ、しまった！
タイラー	：どうしたんですか。
石川	：どうしよう！　かばんが1つない。どこかにわすれたかな。
タイラー	：どこに？　よく思い出してください。
石川	：ええと、チェックインしたときは、あった。チェックインした後で、カフェでお茶を飲んだ。お金をはらうときも、あった。それからトイレに入った。あ、手を洗うとき、そばにおいて、そのあと？　わかった、たぶんトイレです。
タイラー	：とりに行きましょう。
石川	：あるかなあ。
タイラー	：あるかもしれませんよ。とにかく行ってみましょう。

・・・・

タイラー	：どうでしたか。
石川	：あった、あった。ありました。よかった！
タイラー	：よかったですね。さあ、行きましょう。

2

(1)

答え

例：どうしよう！　ない　たぶんトイレです
　　どこかにわすれたかな　あった　ありました

(2)

答え

| タイラーさんに話すとき | ていねいたい |
| ひとりで話すとき | ふつうたい |

4

1

答え

❶ b　❷ c　❸ d　❹ a　❺ e　❻ a

🔊 156

❶ すみません、だれか！
❷ どろぼう！
❸ かじだ、にげろ！
❹ たすけて！
❺ すみません、おります！
❻ たすけてくれ！

5

1

答え

(1) 日本語ができる外国人
(2) b
(3) がんばって英語で話して、部屋（へや）をかえてもらった

🔊 157

102ページと同じ

2

(1)

答え

❶ d　❷ a　❸ c　❹ b

🔊 158-161

❶

客	：もしもし、すみません。302（さんぜろに）ごうしつですが、電気がきえないんです。
ホテルの受付	：へやの電気ですか。
客	：ええ、ベッドのそばの電気です。もう寝たいのに。
ホテルの受付	：もうしわけありません。すぐにスタッフがチェックに行きます。

❷

客	：もしもし、すみません。206（にぜろろく）ごうしつですが、エアコンがつかないんです。
ホテルの受付	：わかりました。スタッフがすぐにチェックに行きます。

・・・・

ホテルのぎじゅつしゃ	：エアコンをつけるときは、こちらのスイッチをおしてください。
客	：はい。すみません。

❸

客	：もしもし、すみません。今、へやに帰ってきたんですが、まどがあいたままなんです。
ホテルの受付	：え？　まどがあいたまま？
客	：ええ。そうじの人がしめるのをわすれたかもしれませんね。
ホテルの受付	：たいへんもうしわけございません。これから、気をつけます。

❹

客	：あ、もしもし、あの、トイレの水が止まらないんです。

ホテルの受付 ：え、すぐにスタッフが行きます。

客 ：早く来てください。お願いします。

ホテルの受付 ：はい、すぐに。たいへんもうしわけございません。

・・・・

客 ：ありがとう。水、止めてくれて。

ホテルの
ぎじゅつしゃ ：いいえ、こちらこそ。もうしわけありませんでした。

(2)

> **答え**
> ❶ c　❷ b　❸ e　❹ g

🔊 162

❶ ベッドのそばの電気がきえないので、受付に電話しました。

❷ ホテルの人は、へやのエアコンをつけました。

❸ へやに入ったら、まどがあいたままでした。

❹ ホテルの人は、トイレの水を止めました。

3

(1)

> **答え**
> ❶（d のみながら）　❷（c してもらいながら）
> ❸（e たべながら）　❹（b みながら）　❺（a なきながら）

🔊 163

❶ パウロさんは、カフェでコーヒーを飲みながら、メールをチェックしました。

❷ 私は、マッサージをしてもらいながら、ねむってしまいました。

❸ 子どもたちは、おかしを食べながら、ゲームをしていました。

❹ アリさんは、サインを見ながら、出発ゲートをさがしました。

❺ 私のむすめは、空港でなきながら、友だちとわかれました。

(2)

> **答え**
> ❶ d　❷ a　❸ c　❹ b　❺ e

🔊 164-168

❶
Q：ひこうきの中で、いつもどうすごしますか。
A：そうですね。私は、お酒を飲みながら、ゆっくり映画を見ます。
Q：ああ、飲みながら映画ですか。さいこうですね。

❷
Q：ひこうきの中で、どうすごしますか。
B：いつも出張で乗るので、ずっと仕事してます。

Q：はあ。ずっと仕事ですか。
B：ええ。さいきんは、ひこうきの中でもコンピューターが使えるのでたすかります。

❸
Q：ひこうきに乗ってるとき、いつもどうすごしますか。
C：ガイドブックを読みながら、旅行のけいかくをたてるんです。
Q：ひこうきの中で、けいかくを。
C：ええ。ひこうきの中が一番ゆっくりできますから。

❹
Q：ひこうきに乗ってるとき、どうすごしますか。
D：私はことばの勉強をしたり、寝たりしてます。
Q：へえ。行く国のことばですか。
D：ええ。かんたんなことは言えるようになりたいですからね。

❺
Q：ひこうきの中で、どうすごしますか。
E：私は、となりにすわった人と話しながら、すごします。
Q：そうですか。外国語で？
E：ええ。おもしろい話が聞けて、楽しいですよ。

(3)

> **答え**
> ❶（d のみながら）
> ❷（b しごとをして（い）ます／しごとをします）
> ❸（f よみながら）　❹（a したり）（c ねたり）
> ❺（e はなしながら）

🔊 169

❶ お酒を飲みながら、ゆっくり映画を見ます。

❷ コンピューターで、ずっと仕事をしています。

❸ ガイドブックを読みながら、旅行のけいかくをたてます。

❹ 外国語の勉強をしたり、寝たりしています。

❺ となりにすわった人と話しながら、すごします。

6

1

> **答え**
> (1) へたな英語で人にたのんだり、親切な人に助けてもらったりしました
> (2) 外国で親切にしてもらうのは、旅行のいい思い出になります

🔊 170

105 ページと同じ

1

1

🔊 171

106ページと同じ

答え

❶ b　❷ c　❸ d　❹ a　❺ e

🔊 172

❶ きかいをつくっています。

❷ きんゆう関係の会社です。

❸ けんせつがいしゃです。

❹ しょくひんをゆしゅつしたり、ゆにゅうしたりしています。

❺ ぶつりゅう関係の会社です。

2

答え

例：(b) が (n)、(a) が (m)、(c) が (i)、(d) が (o)、
(e) が (j)、(f) が (k)、(g) が (p)、(h) が (l)

3

答え

❶ c　❷ e　❸ a　❹ d　❺ b

🔊 173

❶ 会議が終わって、話しあったことをじょうしにほうこくしました。

❷ 「かぜをひいたので、今日は休みます」と、会社にれんらくしました。

❸ いつつぎの会議をするか、じょうしにそうだんして決めます。

❹ うちの会社は今、ひしょをぼしゅうしています。

❺ 私は会社でしょくひんのゆにゅうをたんとうしています。

漢字のことば

🔊 174

107ページと同じ

2

1

答え

	❶	❷	❸	❹
(1)	a	b	e	c
(2)	○	×	○	×

🔊 175-178

❶

受付A：いらっしゃいませ。

カーラ：すみません。そうむかの中村（なかむら）さん、お願いしたいんですが。

受付A：中村ですね。おやくそくですか。

カーラ：はい。

受付A：お客さま、お名前は？

カーラ：あ、すみません。カーラです。

受付A：カーラさまですね。しょうしょうお待ちください。…中村はただいままいります。

カーラ：中村さん、ここに来るんですね。ありがとうございます。

❷

カーラ：すみません。カーラともうしますが、かいがいじぎょうかのパクさん、お願いしたいんですが。

受付B：かいがいじぎょうかのパクですね。おやくそくですか。

カーラ：はい。

受付B：ただいまおよびします。しょうしょうお待ちください。…もうしわけございません。パクはただいま電話中ですので、こちらでお待ちください。

カーラ：電話中ですか。わかりました。

❸

受付C：いらっしゃいませ。

カーラ：あのう、えいぎょうぶのワンさんと2時にやくそくがあるんですが。

受付C：えいぎょうぶのワンですね。お客さまのお名前は？

カーラ：あ、カーラともうします。すみません。

受付C：カーラさまですね。ただいまおよびします。しょうしょうお待ちください。…ワンはただいままいります。

カーラ：はい、ありがとうございます。

❹

カーラ：すみません。きかくかの山田（やまだ）さん、いらっしゃいますか。

受付D：きかくかの山田ですね。おやくそくですか。

カーラ：はい。あ、カーラともうします。

受付D：ただいまおよびします。…もうしわけありません。山田はただいま会議中です。こちらでお待ちください。

カーラ：会議ですか。わかりました。

2

答え
❶c ❷b ❸d ❹a ❺e

3

🔊 179
109 ページと同じ

3

1
(2)

答え
❶b ❷a ❸d ❹c

🔊 180
カーラ：パクさん、お忙しいところ、どうもすみません。
パク　：いいえ、だいじょうぶですよ。
カーラ：はじめに、パクさんの会社のこと、教えてもらえませんか。
パク　：いいですよ。うちの会社は、いろいろなきかいをつくってゆしゅつしてます。世界中に支社があるんですよ。
カーラ：大きな会社なんですね。パクさんは、どのぐらいこの会社で働いてるんですか。
パク　：つとめてもう 3 年になります。
カーラ：3 年。今のお仕事は？
パク　：ぼくは、おもにアジアの支社とのれんらくをたんとうしてます。あと 2、3 年したら、かいがいの支社に行きたいと思ってるんです。
カーラ：へえ、いいですね。しょくばのふんいきはどうですか。
パク　：とてもいいですよ。にんげんかんけいがよくて、じょうしがしんらいできる人なんです。だから、働きやすいですよ。

2

答え
（おわったら）（はたらきたいとおもって（い）るんです）
（そつぎょうしたら）（なりたいとおもって（い）るんです）
（はたらいたら）（つくりたいとおもって（い）るんです）

3

(1)
🔊 181
111 ページと同じ

4

1

答え
❶× ❷○ ❸× ❹○

🔊 182・183
112 ページと同じ

2

答え
❶（b する）　❷（a がんばる／e はたらく）
❸（e はたらく／a がんばる）　❹（f はなしたり）
❺（d つくる）　❻（c たのしむ）

🔊 184
❶ いろいろな人ときょうりょくして仕事をすることができます。
❷ むずかしい仕事でも、さいごまであきらめないでがんばることができます。
❸ たいりょくにじしんがあるので、何日も寝ないで働くことができます。
❹ 仕事で外国からの E メールや電話がよくあります。ていねいな外国語で書いたり話したりすることができますか。
❺ コンピューターを使ってわかりやすいしりょうを作ることができますか。
❻ うちの会社はかいがいに支社がたくさんあります。どこに行っても、その国の生活や文化を楽しむことができますか。

3

(1)

答え
❶a ❷d ❸e ❹c

🔊 185-188

❶
Q：どんな働き方をしたいですか。
A：私、1 人（ひとり）で働くよりいろいろな人に会う方が好きなんです。
Q：人に会う方が好き。
A：ええ、会った人の名前やかおもすぐおぼえることができるんですよ。
Q：ほう、それはすごいですね。では、この仕事、どうでしょう。

❷
Q：どんなお仕事をさがしてるんですか。
B：私は、会社で働くより自分で仕事が選べる方がいいんですが。

Q：仕事が選べる方がいい。

B：ええ、留学してたから、外国語にはじしんがあります。

Q：そうですか。じゃあ、いい仕事があったら、ごれんらくしますね。

❸

Q：どんな働き方がいいですか。

C：じつは、子どもがまだ小さいので、毎日はむりなんです。

Q：ああ、そうですよね。

C：それで、つごうがいい時間だけ働きに行く方がいいんですが。

Q：あ、それでもだいじょうぶです。つごうがいい時間だけ働く仕事、ありますよ。

❹

Q：どんな仕事をさがしていますか。

D：私は、ものを売るより作る方がとくです。

Q：ものを作るって言うと？

D：あ、コンピューターのソフトウェアです。私、こうじょうのシステムを作っていました。新しいことを勉強しながら仕事をしたいんです。

Q：ああ、それじゃあ、こんなのがありますけど…。

🔊 189

❶ 1人（ひとり）で働くよりいろいろな人に会う方が好きです。

❷ 会社に入って働くより自分で仕事が選べる方がいいです。

❸ つごうがいい時間だけ働きに行く方がいいです。

❹ ものを売るより作る方がとくです。

(2)

> 答え
> ❶ f あう　❷ j はたらく　h えらべる
> ❸ k はたらきにいく／j はたらく　❹ g うる　i つくる

5

①

> 答え
> （1）（a）
> （2）働くことをとおして、人や文化についてもっとよくわかるようになると思います

🔊 190

115 ページと同じ

🔊 191-214

125 - 132 ページと同じ

テストとふりかえり1（トピック1-5）

....

3 読解・文法テスト（問題例）

1. 田中さんのブログを読んでください。

> 週末、エドワードさんが家によんでくれました。
> エドワードさんの家族は、おくさんとお子さん2人の4人で、みんな、日本にきょうみを持っています。
> おくさんは、私のためにわかりやすい英語で話してくれました。ときどき質問が 難しくて ①、うまく英語で答えられませんでした。
> そんなときはエドワードさんにつうやくしてもらいました①。
> 昼食 ②の後で子どもたちがおりがみを作ってくれました②。上のお子さんは、最近、小学校でおりがみを習ったそうです。
> それから、2人にイギリスの子どもの歌を教えてもらいました。
> エドワードさんの家族があたたかくむかえてくれて、ほんとうに楽しい一日でした。

(1) ブログの中にある□□□の漢字の読み方を選んでください。
　　① 難しくて（　a いそがしくて　b うれしくて　c むずかしくて　d やさしくて　）
　　② 昼食（　a がいしょく　b ちゅうしょく　c ゆうしょく　d ようしょく　）
(2) ＿＿＿について質問に答えてください。
　　① だれがつうやくしましたか。　（　　　　　　　　　）
　　② だれがおりがみを作りましたか。　（　　　　　　　　）
(3) つぎの文は正しいですか。（正しい○、正しくない×）
　　① 田中さんはエドワードさんのお子さんに歌を教えました。（　　　　）
　　② 田中さんはエドワードさんの家に行って、よかったと思いました。（　　　　）

2. ことばを選んで、正しい形を書いてください。　　　｜a います　b 勉強します　c わすれません｜

(1) 川井：キムさん、よかったら、週末うちに来ませんか。
　　キム：ありがとうございます。日曜日なら行けます。
　　　　　土曜日は人が来るので、家に（　　　　　　）いけないんです。
(2) タイラー：エスターさんはいろいろなことばをよく知っていますね。
　　エスター：ありがとう。私は習ったことばを（　　　　　　ように）、家でもよく練習しています。

3. 正しいじゅんばんにならべてください。

(1) A：家はもう見つかりましたか。
　　B：はい、＿＿＿＿けど、＿＿＿＿から、＿＿＿＿。　　｜a 決めました　b 少し古い　c 通勤に便利だ｜
(2) A：日本の食べ物にはもうなれましたか。
　　B：はい、和食は＿＿＿＿し、よく食べます。　　｜a 国の料理も食べたい　b 週末は自分で作る　c 健康的だ｜
　　　でも、＿＿＿＿ので、＿＿＿＿んです。

....

問題例の答え

1　(1) ① c　② b　　(2) ① エドワードさん　② （エドワードさんの）子どもたち　　(3) ① ×　② ○
2　(1) a いなきゃ　　(2) c わすれない
3　(1) b, c, a　　(2) c, a, b

テストとふりかえり2（トピック6-9）

3 読解・文法テスト（問題例）

1. 吉田さんの旅行のブログを読んでください。

> はじめて家族で海外旅行に出かけた。行ったのは、オーストラリア。
> 自然がきれいで、子どもたちもいい経験ができて、[最高]① だった。日本に帰る前に、空港のレストランで食事してから、
> 友だちのためにおみやげを買ったので、にもつがふえてしまった。[飛行機]② に乗る前ににもつを見ると、おみやげのふくろが
> 1つない！
> 店でお金をはらったとき、1つ忘れたのかもしれない。どうしよう、もう時間がない。
> そのとき、「お父さん、これ。」うしろにむすこが私のおみやげのふくろを持って立っていた。よかった。（　　　　　）、出発
> ゲートに行った。

(1) ブログの中にある□□□の漢字の読み方を選んでください。
　　① 最高（　a へんこう　b しんせつ　c さいこう　d しんぱい　）
　　② 飛行機（　a ひこうき　b きかい　c ちかてつ　d そうじき　）

(2) （　　　　　）に入ることばはどれですか。　　| a ほっとして　b こまって　c がんばって |

(3) つぎの文は正しいですか。（正しい○、正しくない×）
　　① 空港のレストランにおみやげを忘れました。（　　　　）
　　② 飛行機に乗る前に家族のためにおみやげを買いました。（　　　　）
　　③ おみやげのふくろは、むすこが持っていました。（　　　　）

2. ことばを選んで、正しい形を書いてください。　　| a 休みます　b 話します　c 使います |

(1) あべ：ホセさんのおくさん、最近、元気がないですね。どうしたんですか。
　　ホセ：妻は仕事が忙しいんです。少し（　　　　　）ほしいんですが。
(2) シン　：カーラさんは、どんな仕事をさがしているんですか。
　　カーラ：私はコンピューターでしょるいを作るより、いろいろな人に会って（　　　　　）ほうがいいんです。だから…

3. （　　）に助詞（が、を、に）を入れてください。

(1) A：旅行はどうでしたか。
　　B：安いホテルにとまったら、おゆ（　　　　）出なかったんです。ホテルの人にたのんで、へや（　　　　）かえてもらいました。
(2) A：結婚式のパーティーのじゅんび、たいへんですね。
　　B：ええ。でも、友だち（　　　　）てつだってもらうから、だいじょうぶです。

問題例の答え

1 (1) ① c　② a　　(2) a　　(3) ① ×　② ×　③ ○
2 (1) a やすんで　　(2) b はなす
3 (1) が、を　　(2) に

Can-do チェック 『まるごと　日本のことばと文化』初中級 A2/B1

トピック	年月日	コメント	No	かつどう　Can-do（レベル）
1 スポーツの 試合 Sports Games			1	友だちを外出にさそう／さそいをうける（B1）
			2	りゆうを言ってさそいをことわる（A2）
			3	りゆうを言ってやくそくをキャンセルする（B1）
			4	スポーツの試合で好きなチームをおうえんする（A2）
			5	自分が見たスポーツの試合について話す（A2）
			6	おわびのメールとへんじのメールから、じじつと書いた人の気持ちを読みとる（B1）
			7	外出の報告のメールから、じじつと書いた人の気持ちを読みとる（B1）
2 家をさがす Looking for a House			8	住むところをさがすのにだいじなポイントは何か話す（A2）
			9	自分が住んでいるところについて話す（B1）
			10	サイトのきじから、どんな家に住んでいるか、そのりゆうは何か読みとる（A2）
			11	サイトのきじから、仕事と住むところについて書いた人の考え方を読みとる（B1）
3 ほっとする 食べ物 My Comfort Food			12	外国の食べ物についてどう思うか話す（B1）
			13	自分の食生活について話す（B1）
			14	サイトのきじから、書いた人にとってないとこまる食べ物とはどんなものか読みとる（A2）
			15	サイトのきじから、食生活について書いた人の考え方を読みとる（B1）
4 訪問 Visiting Someone			16	客を家の中にあんないする（A2）
			17	家族を客に紹介する（A2）
			18	外国などで生活した経験や思い出について話す（B1）
			19	サイトのきじから、書いた人が友だちの家を訪問した日のことや、そのときの気持ちを読みとる（B1）
			20	訪問客へのおれいのメールから、書いた人の気持ちを読みとる（B1）
5 ことばを学ぶ 楽しみ The Pleasure of Learning Other Languages			21	外国語を勉強する方法について話す（A2）
			22	外国語をクラスで学ぶ楽しみについて話す（B1）
			23	サイトのきじから、外国で日本語を学ぶ方法を読みとる（A2）
			24	友だちのメールから、その人の外国語の勉強の経験と今の気持ちを読みとる（B1）

★☆☆：しました　I did it, but could do it better.　　★★☆：できました　I did it.　　★★★：よくできました　I did it well.

	No	ひょうか
Invite a friend out /Accept an invitation	1	☆☆☆
Decline an invitation and give a reason	2	☆☆☆
Cancel an appointment and give a reason	3	☆☆☆
Cheer on your favourite team in a sports game	4	☆☆☆
Talk about a sports game which you saw	5	☆☆☆
Read e-mails of apology and their replies and understand the facts and the writers' feelings	6	☆☆☆
Read an e-mail giving a report on an outing and understand the facts and the writer's feelings	7	☆☆☆
Talk about what is important for you when looking for somewhere to live and why	8	☆☆☆
Talk about the place where you live	9	☆☆☆
Read an article from a website and understand what kind of place the writer lives in and why	10	☆☆☆
Read an article from a website and understand what the writer thinks about his / her job and the place where he / she lives	11	☆☆☆
Talk about what you think of foreign food	12	☆☆☆
Talk about your eating habits	13	☆☆☆
Read an article from a website and understand what the writer says about the food he/she cannot live without	14	☆☆☆
Read an article from a website and understand what the writer thinks about eating habits	15	☆☆☆
Show a visitor around your house	16	☆☆☆
Introduce your family members to a visitor	17	☆☆☆
Talk about your experience and memories of living overseas	18	☆☆☆
Read an article from a website and understand what the writer did and how she felt when she visited her friend	19	☆☆☆
Read a thank you e-mail to a visitor from a foreign country and understand the writer's feelings	20	☆☆☆
Talk about how to learn a foreign language	21	☆☆☆
Talk about the pleasure of learning a foreign language in a language class	22	☆☆☆
Read an article from a website and understand how to learn Japanese outside Japan	23	☆☆☆
Read an e-mail from a friend and understand his / her past foreign language learning experience and how he / she feels about it now	24	☆☆☆

ぶんぽう・ぶんけい		ひょうか
V-なければ なりません／ V-なきゃ いけません	土曜日に父の知りあいを迎えに行かなければなりません。／行かなきゃいけません。	☆☆☆
イA／ナA ＋ さ、V-ます （おもしろさ、かんたんさ、さそい）	選手のプレーのすばらしさにかんどうしました。／勉強が忙しいから、友だちのさそいをことわりました。	☆☆☆
と／で／へ／から／まで ＋ の	来月のマリナーズとの試合、いっしょに行きましょう。	☆☆☆
イA-くても／なくても＿＿＿＿ ナA／Nでも／じゃなくても＿＿＿＿	せまくてもがまんしています。／不便でもここに住みたいです。	☆☆☆
S1 ば／なければ、S2	もっと広いへやがあれば、ひっこしたいです。	☆☆☆
N2 みたいな N1／ N1 は N2 みたいです	ラーメンみたいな食べ物／ベジマイトは（見た目が）ジャムみたいです。	☆☆☆
＿＿＿＿ないです／ ＿＿＿＿ありません	ラーメンは毎日食べてもあきないです。／ベジマイトはあまくありません。	☆☆☆
N（ひと）は／が V-て くれます	アニスさんが家によんでくれました。	☆☆☆
N（ひと）に V-て もらいます	アニスさんにつうやくをしてもらいました。	☆☆☆
V-（よ）うと 思っています	大学を卒業したら、日本に留学しようと思っています。	☆☆☆
V-そうです／ V-そうな N	つぎの試験は、いいせいせきがとれそうです。／私にも読めそうな本	☆☆☆
（数量）も	きのうは３時間もチャットをしました。／チャットは楽しいので、何時間もやります。	☆☆☆

トピック	年月日	コメント	No	かつどう　Can-do（レベル）
6 結婚 Weddings and Marriage			25	友だちの最近のニュースについて別の友だちと話す（A2）
			26	友だちについて聞いた話をほんにんにたしかめる（B1）
			27	友だちのために、メモを見て結婚式のスピーチをする（A2）
			28	サイトのきじから、結婚するふたりがどんな結婚式をしたいか読みとる（B1）
			29	結婚についてしらべたけっかを読んで、だいじなポイントをりかいする（B1）
7 なやみ相談 Talking about Personal Problems			30	ほかの人の心配なようすについて話す（A2）
			31	元気がない人にこえをかける（A2）
			32	ほかの人のなやみについてしらべて、けっかとかんそうを話す（B1）
			33	なやみ相談のサイトのきじから、ないようと相談している人の気持ちを読みとる（B1）
			34	なやみ相談へのアドバイスを読んで、だいじなポイントをりかいする（B1）
8 旅行中の トラブル Problems When Travelling			35	空港でアナウンスがわからないときに、ほかの人に聞く／答える（A2）
			36	自分がどこで何をしていたか、思い出して言う（B1）
			37	どこかに忘れ物をした友だちを助ける（A2）
			38	だれかに助けをもとめる（A2）
			39	サイトのきじから、書いた人が経験した旅行中のトラブルとそのときの気持ちを読みとる（B1）
			40	サイトのきじから、書いた人が経験した旅行中のトラブルと、それを今どう考えているか読みとる（B1）
9 仕事をさがす Looking for a Job			41	会社の受付で、会いたい人にとりついでもらう（A2）
			42	勤めている会社と自分の仕事について話す（B1）
			43	しゅうしょくの相談とへんじのメールから、書いた人が何を思っているか読みとる（B1）
			44	しゅうしょく活動のかんそうを書いたメールから、書いた人の気持ちや考えを読みとる（B1）

	No	ひょうか
Talk about a friend's recent news with another friend	25	☆☆☆
Check with a friend whether something you heard about him / her from another person is true	26	☆☆☆
Make a wedding speech for a friend, using notes	27	☆☆☆
Read an article from a website about a couple who are planning to get married and understand what kind of wedding they would like	28	☆☆☆
Read the results of some research on marriage and understand the main points	29	☆☆☆
Talk about people who look worried	30	☆☆☆
Talk to someone who looks worried	31	☆☆☆
Find out about what things other people are worried about and report the results with your comments	32	☆☆☆
Read an article from a website offering advice for problems and understand what the problem is and how the person feels	33	☆☆☆
Read some advice for problems and understand the main points	34	☆☆☆
Ask other people / answer when you do not understand an announcement at an airport	35	☆☆☆
Remember and say where you were and what you were doing	36	☆☆☆
Help a friend who has lost something	37	☆☆☆
Ask someone for help in an emergency	38	☆☆☆
Read an article from a website and understand the problems the writer experienced while travelling and how he / she felt at the time	39	☆☆☆
Read an article from a website and understand the problems the writer experienced while travelling and what he / she thinks about it now	40	☆☆☆
Ask the reception at a company to tell someone that you are here to see him/her	41	☆☆☆
Talk about the company you work for and the work you do	42	☆☆☆
Read an e-mail asking for advice on job hunting and its reply, and understand what the writers intend to say	43	☆☆☆
Read an e-mail about the writer's feelings on job hunting and understand the writer's thoughts and feelings	44	☆☆☆

ぶんぽう・ぶんけい		ひょうか
V-て あげます	（私は）のりかの願いを聞いてあげます。	☆☆☆
V- なくても いいです／だいじょうぶ です	大きなパーティーはしなくてもいいです。	☆☆☆
S1（ふつうけい plain form）のに、S2	せっかく会っているのに、友だちはカレシと長電話をします。	☆☆☆
（N（ひと）に）V-て／ V- ないで ほしいです	私は S 子にマナーをまもってほしいです。／長電話をしないでほしいです。	☆☆☆
（人が）N を V（他動詞 transitive verb）N が V（自動詞 intransitive verb）	ホテルの人が電気をつけます。電気がつきます。	☆☆☆
V1- ながら V2	ホテルの人は歩きながら、ホテルの歴史を説明しました。	☆☆☆
V- る ことが できます	ヨーロッパのじょうほうを集めることができます。	☆☆☆
V1- る より V2- る ほうが イA／ナA です	人の前で話すよりレポートを書く方がとくいです。	☆☆☆

【 写真協力 】（五十音順・敬称略）

■ 浦和レッドダイヤモンズ株式会社
　http://www.urawa-reds.co.jp/
　〒 336-8505　埼玉県さいたま市緑区中野田 500

■ セレッソ大阪
　http://www.cerezo.co.jp/
　〒 546-0034　大阪市東住吉区長居公園 1-1 キンチョウスタジアム内

■ 株式会社アフロ
　http://www.aflo.com/
　〒 104-0061　東京都中央区銀座 6-16-9 ビルネット館 1-7 階

■ 三菱日立パワーシステムズ株式会社
　http://www.mhps.com/
　〒 220-8401　神奈川県横浜市西区みなとみらい 3-3-1

■ ワタベウェディング株式会社
　http://www.watabe-wedding.co.jp/

【 その他協力 】（五十音順・敬称略）

■ 株式会社 懸樋プロダクション
　http://www.kakehipro.com/
　〒 106-0045　東京都港区麻布十番 2-14-7 田辺ビル 202

■ 株式会社 ブレイン
　〒 150-0001　東京都渋谷区神宮前 2-2-22 青山熊野神社ビル B1F

まるごと　日本のことばと文化　初中級　A2/B1

2015年７月10日　第１刷発行
2022年６月20日　第９刷発行

編著者　独立行政法人国際交流基金（ジャパンファウンデーション）

執　筆　来嶋洋美　柴原智代　八田直美

発行者　前田俊秀

発行所　株式会社三修社

〒150-0001　東京都渋谷区神宮前 2-2-22

TEL. 03-3405-4511　FAX. 03-3405-4522

振替 00190-9-72758

https://www.sanshusha.co.jp

印刷製本　萩原印刷株式会社

ISBN978-4-384-05758-4 C0081